文春文庫

ニューヨークのとけない魔法

岡田光世

文藝春秋

目次

第五章　特別な日には

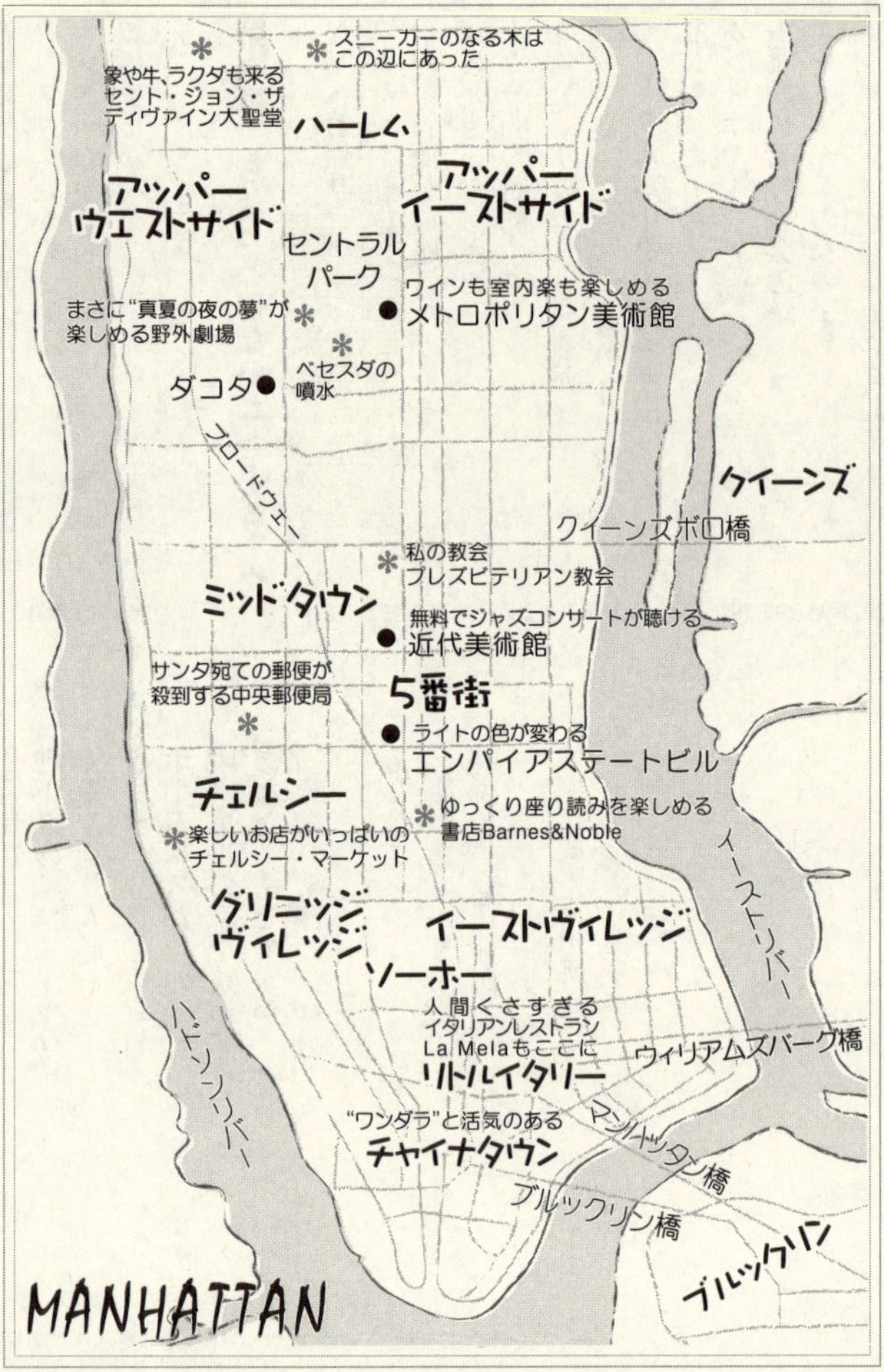

スニーカーのなる木は
この辺にあった
象や牛、ラクダも来る
セント・ジョン・ザ
ディヴァイン大聖堂
ハーレム
アッパー
ウエストサイド
アッパー
イーストサイド
セントラル
パーク
ワインも室内楽も楽しめる
メトロポリタン美術館
まさに"真夏の夜の夢"が
楽しめる野外劇場
ダコタ
ベセスダの
噴水
ブロードウェー
クイーンズ
クイーンズボロ橋
私の教会
プレズビテリアン教会
ミッドタウン
無料でジャズコンサートが聴ける
近代美術館
サンタ宛ての郵便が
殺到する中央郵便局
5番街
ライトの色が変わる
エンパイアステートビル
チェルシー
ゆっくり座り読みを楽しめる
書店Barnes&Noble
楽しいお店がいっぱいの
チェルシー・マーケット
イーストリバー
グリニッジ
ヴィレッジ
イーストヴィレッジ
ソーホー
人間くさすぎる
イタリアンレストラン
La Melaもここに
ウィリアムズバーグ橋
ハドソンリバー
リトルイタリー
"ワンダラ"と活気のある
マンハッタン橋
チャイナタウン
ブルックリン橋
ブルックリン
MANHATTAN

はじめに

住み慣れたニューヨークから、久しぶりに東京に戻った。天気がよいので、ふだんはあまり開けない窓を開けた。その瞬間、向かいの家の窓が音を立ててぴしゃりと閉まり、さっとカーテンが引かれた。

近所の中年のお父さんたちに「おはようございます」と挨拶しても、下を向いたままで目を合わせない。わずかに会釈してくれることはあった。

そんなとき、私はニューヨークが恋しくなった。ベランダに出れば、ジョギングしている人が足を止め、下から声をかけてくる。

花がとてもきれいだから、毎朝ここを走るのが楽しみなの。ありがとう。

部屋でピアノを弾いていると、ドアの呼び鈴が鳴った。ドアを開けるとそこには、郵便物の束を抱えて、見慣れない女性の郵便屋さんが呆然と立っていた。

あまりにも美しい音色だったから……。思わず、呼び鈴を鳴らしてしまったの。

郵便受けに入れればそれで済む郵便物を、わざわざ手渡しして、次の配達先へと去っていった。

あるとき、バスに乗り遅れまいと必死に走っていると、バスのドアが閉まり、ゆっくり動き始めた。その瞬間、たまたま通りを歩いていた男の人がバスに向かって大声で、待て！　待て！　と叫んだ。バスは止まり、私はその男の人に礼を言って、乗り込んだ。

東京はみんな、自分のことで忙しそうだ。周りの人など存在しないかのようだ。電車の中では、ひたすら携帯電話に向かって指を動かし、メールを打つか、ゲームに没頭している。イヤフォンで音楽を聴いている。鏡に映る自分の顔を見つめながら、化粧をしている。

今、地元の公立小学校で英語学習に携わっている。英語表現より何より、人と心が触れ合う喜びを伝えることができたら、どんなに素晴らしいかと思う。

お母さんがおやつを出してくれたとき、近くのコンビニでジュースを買ったとき……。身近な場面で、何と言えばよいのか。子どもたちは頭をひねる。英語がわからないからではない。それ以前に、日本語でも何と言えばよいのか、とっさに出てこない。何も言わなくても、おやつは食べられるし、ジュースは買える。

買い物をしたとき、アメリカでは客も「Thank you.」と言うと知ると、子どもは驚く。

買ってあげたのに、どうしてお礼を言うの？

地図を広げて困っている外国人旅行者を見かけた日本人の、さまざまな反応を劇にしたときには、男の子が言った。
外人に何も聞かれてないのに、こっちから話しかけるの、変だよね。
外国人を演じてみて、困っているときに声をかけられる嬉しさを、子供たちは知った。

ニューヨークは孤独な大都会のはずなのに、人と人の心が触れ合う瞬間に満ちている。飾ることなく、ごく自然に、笑顔や言葉を交わし合える。だから私は、この街に魅せられる。

そんな一瞬、一瞬を、ここにつづった。中西部の高校と大学に一年ずつ留学したとき、観光客として訪れた。その後、マンハッタンの大学院に通い、働き始め、長年、ニューヨークは生活の場となった。この街で結婚し、夫とともに約八年間、暮らした。その後、同じアパートに住んでいた友人のゲイルのところで半年間、お世話になっているときに、この本を書いた。単行本の出版元、英会話教育で知られるノヴァの依頼で、やさしい生きた英語表現をどの話にも織り交ぜてある。

私は今、東京でも見知らぬ人に気軽に声をかけている。だからこの街でも少しずつ、人とのつながりを肌で感じながら、暮らし始めている。
ある日、駅前に自転車をとめたとき、そばに並んでいた自転車が将棋倒しになった。慌てふためき、自転車を一台ずつ起こす私の横を、人々は足早に通り過ぎていく。

ふと気がつくと、三十代くらいだろうか、ひとりの女の人が黙って自転車を起こしていた。すべて起こし終わると、その人は何事もなかったように、立ち去った。

バッグには、ちょうど刷り上がったばかりの自著が入っていた。本が完成した喜びと、その人が心を留めてくれた嬉しさが重なり、気がついたらその人を追いかけていた。

私が書いた本ですけれど、もしよかったら読んでみてください、と一冊、差し出した。

その人はやや怪訝《けげん》そうな顔をし、戸惑いながら本を受け取った。

ニューヨークの調子で、またやってしまった、と恥ずかしくなった。新興宗教の勧誘か何かだと思われたに違いない。

後日、その本の出版社気付で、私宛に一枚の葉書が届いた。あの女性からだった。

びっくりして、きちんとお礼も申し上げず、失礼致しました、と書かれている。

小さな出会いですが、嬉しかったです。

葉書はそう、結ばれていた。

ニューヨークのとけない魔法

第一章　ニューヨークは今日も

気まぐれな地下鉄

ニューヨークの地下鉄ほど気まぐれなものはない。

ローカル（各駅停車）で走っていたのに、突然、急行になる。

しっかり放送に耳を傾けていなければ、何が起こるかわからない。ところがその放送も、声がこもっていたり、電車の音にさえぎられたりして、聞き取りにくい。

日本人なら苛立つところだろうが、アメリカ人はそれほど戸惑う様子もなく、素直に指示に従っている。

この前も、ある駅に停車中に、女の人の声で車内放送が流れた。

電車はこの先、急行に変わります。

それを聞き、何人かは電車から降りた。

約三十秒後に、男の人の声で別の放送が入った。

この電車は各駅停車です。

さっき降りた人たちが、また車内に戻ってくる。

すると、マイクを通して、別々の放送をしたふたりのやり取りが聞こえてくる。

ちょっと、これから急行になるんじゃないの？

違うよ、各駅だよ。

あ、そ。

この前も、各駅だ、急行だ、各駅だ、と何度も放送が入り、乗客が混乱していた。世の中には親切な人がいるもので、ある男性の乗客は、人が乗ってくるたびに、変更を逐一、伝えている。

最初、各駅ということだったけど、急行になって、また各駅になったよ。

This is going express now.

で、今は急行だよ、と彼が説明する。

時には予告もなしに、走っている最中にほかの路線に変更することさえある。“now”のひと言で、突然、変更が許されてしまうシステム。このいい加減さが、行き先も停車駅もわからない地下鉄に、ぼんやり乗ってはいられない、という緊張感を与えている。

日本の地下鉄で熟睡している人たちには、とてもついていけないだろう。

This is going express now. = 今は急行だよ

愛想のないのがいいところ

チャイナタウンを歩いていると、思わず顔がほころぶ。背中が弓のように丸くなったおばあさんなどとすれ違うと、日本の田舎に行ったような懐かしさを覚える。店にシイタケが並んでいて、「日本肉厚……」などと書かれていると、はいはい、わかりますよ、私には。

そんな気持ちになって、うれしくなるのだ。

青々とした野菜や、何種類もの魚が軒先に並べられている。あちこちに、お粥《かゆ》や春巻などを売る屋台が出ている。

店の前を歩いていると、ワンダラ、ワンダラ、と盛んに声をかけられる。ちなみにワンダラは、一ドル（one dollar）ということだ。

チャイナタウンでは、無駄話は一切しない。してもたいてい、わかってもらえない。相手はかまわず、中国語で話し続ける。

安くておいしいベトナム料理の店を、久しぶりに訪ねた。知らない間に、数ブロック先に移転していた。

引っ越したのね。おいしいから、また来たの。

そう語りかけても、ウエーターはにこりともせず、黙ったままごくわずかに首をたてに振る。うなずく時間までもったいないかのようだ。愛想がないのか、英語が理解できないのか。よくわからないが、とにかく話をしたくなさそうなのは明らかなので、私もそれ以上、話しかけない。

帰りに、新鮮な野菜が並べられた店先で足を止めた。そこで大きなニンジン二本、ブロッコリー、キャベツ、ショウガ、ニンニクをそれぞれひとつずつ買った。目の前の秤《はかり》にのせもせず、さっとビニール袋に入れると、

スリーダラ（三ドル）、とひと言。

秤にもかけずに、瞬時に値段を言い切ってしまうところが、なんとも賢く見える。

肉まんを買った店のおじさんも愛想が悪い。友人の家に持っていくのを、八個箱詰めにしてもらった。やはり自分の分も買おうと思い、いくつにしようか五秒ほど迷っていると、おじさんはバンバンとカウンターを平手でたたいて、私を急かす。

日本人か、とおじさんがカウンターをたたく手を止め、聞く。

そうです、と答えると、

ドーモ、アリガト、ゴザイマシタ、とおじさんが怒った顔のまま、日本語で言う。

ありがたそうでもないので、私はいつものように無駄話はせずに、さっさと店を出た。

愛想のいいアメリカ人だったら、肉まんを手渡しながら、

Enjoy.

楽しんで、食べてください、とでもいうところだ。

でも、チャイナタウンのこの無愛想さに、私はなぜか親しみを感じて、思わず微笑んでしまう。

Enjoy.＝楽しんで、食べてください

居眠り禁止!

"Miss, are you all right?"

あなた、大丈夫ですか。

すぐ近くで、男の人の声がする。

気がつくと、隣に制服姿の黒人の警備員が仁王《におう》立ちになって立っている。私はいつの間にか、眠り込んでいたのだ。

ここはニューヨーク公共図書館。五番街に面した正面入り口の左右に、大理石のライオンの像がある有名な図書館だ。

Are you all right? って、まさか、気絶しているわけでもあるまいし。

もしかしたら、気分が悪いとでも思ったのかもしれないが、気づかいのように聞こえるこの言葉。じつは、

Hey, wake up and get busy! を意味しているのだ。

こんなところで寝ていないで、さっさと仕事をしろ、ということだ。

「ニューヨーク公共図書館では、寝ていると起こされる」

私は、まさにこの原稿を書くために、まさにこの一文を、この図書館でノートパソコンに打ち込んだとたん、突然、眠気に襲われた。

これまで私は、寝ていて一度も起こされたことがない。うたた寝くらいはしたことがあるはずだが、前科がなかった。

テーブルに伏せていると起こされる、と聞いていたので、体をずらして椅子の背に頭をもたせかけて、目を閉じることにした。これなら、思考をめぐらせているように見えるに違いない。

たった今、今度は制服姿の黒人女性が両手を後ろで組み、すぐ横を通り過ぎていった。週末の図書館は混んでいるからか、見回りがふたりもいる。

監視の下、おかげで再び眠りに陥ることなく、仕事は進んだ。

後日、この図書館に電話をかけた。

うたた寝すると、なぜ起こされるのでしょう。

私は素朴な疑問を投げかけてみる。

A library is not a place to sleep. It's not a dormitory.

図書館は寝る場所ではありません。寮じゃないんですからね。

つれない返事だ。

ホームレスの人が居すわらないためでもあるのだろう。

日本の図書館で大いびきをかいているおじさんたちも、ここではいやでも仕事がはかどるだろう。

Get busy！＝さっさとしなさい！

よそ者はルールを守る

ウィスコンシン州の田舎町の高校に留学していた時、道ですれ違えば知らない人でも、Hi! と声をかけ合っていた。そうしなければ、相手の存在を無視しているかのように感じられるほど、ごく自然だった。

こういう生活に慣れている人なのだろう。ニューヨークに来たアメリカ人の観光客が、人とすれ違うたびに、Hi! と言葉をかけていたら、知りもしないのになれなれしくするな、と怒鳴られたという。

確かに、ただの通りすがりの人にいちいち話しかけていたら、ニューヨークでは変わり者だと思われてしまうかもしれない。

小さな町だけではない。ボストンなどの大都市からニューヨークに戻ってきても、ニューヨーカーは無礼な人が多いと感じる。地下鉄では誰も降りないうちから、車両に乗り込んでくる人がいる。ニューヨーカーは、降りる人が先、という基本的なルールも知らない、と書かれた新聞記事をいつか読んだ。地下鉄の座席をひとりで三つも占領し、靴を履いたまま足をのせてすわっている人もいる。

女性がいても、エレベーターにさっさと先に乗り込む男性たちもいる。あわただしいニューヨークでは、譲り合っているのは効率的ではないのかもしれない。女性を先に通したり、ドアを開けてあげたりすることが、これまでは男性のマナーだとみなされていた。男女が対等に働いている職場などでは、今ではそれが逆に、男女差別だと非難を浴びる恐れもある。が、ふだんの生活でそこまで考えているとは思えない。

こんなテレビ・コマーシャルがあった。店の前に列ができている。そのうち、順番など無視して、人々が割り込み始めたのに、じっと並んで待っている人がいた。その人に向かって、ニューヨーカーが声をかける。

You must be from out of town.

あんたは、よそから来たんだろ。

ニューヨーカーだったら、そんなに礼儀正しいはずはない、ということだ。


I was here first!

私が先に並んでいたのよ！

今もどこかから、こんな怒鳴り声が聞こえてきそうだ。

You must be from out of town.＝あんたは、よそから来たんだろ

カフェの風景

アッパー・イーストサイドにある「Le Pain Quotidien」は、ベルギーのベーカリー・カフェだ。中はヨーロッパのカントリー風の作りで、フランス語もとび交う。どんと置かれた長い大きな木のテーブルを、ほかの客と囲み、軽い食事ができる。

私は友人と、クロワッサンやフランスパンなどいろいろな種類のパンの入ったバスケットと、生ハムやチーズ、オリーブなどの盛り合わせを頼んだ。オリーブのペーストや粒入りマスタードをつけて食べる焼き立てのパンは最高だ。シナモン・デニッシュなどのデザートもおいしい。

カップル、シングル、子ども連れの家族、女同士、ゲイのカップルなど、客層はさまざまだ。メトロポリタン美術館の入館バッジを胸につけている人もいる。美術館のすぐ近くなので、ランチを食べてから、また、鑑賞を楽しむのだろう。

朝、学校が始まる時間になると、ここは母親たちのひと時の集いの場となる。学校へ子どもを送っていった帰りに立ち寄り、おしゃべりを楽しむ。

子どもができれば、安全性や教育レベルを考えて、マンハッタンから郊外へと移り住むのがこれまでのパターンだった。ところが最近、マンハッタンはすっかり家族にやさしい街になった。

セントラルパークのベンチで本を読んでいた時、スーツにハイヒール姿で、さっそうとベビーカーを押す白人女性がいた。その姿は誇らし気でさえある。体外受精や高齢出産が増えたためか、双子や三つ子を乗せたベビーカーをよく見かける。

ファーストフードの店でもなければ、レストランで子どもの姿を見かけることはほとんどなかったのに、今では子連れで外食を楽しむ夫婦も増えている。

キャリアひと筋の生き方に、今のニューヨーカーの女性は魅力を感じない。子どもはステイタスである。

They didn't know what they were missing.

とても大事なものを失っていたのに、彼女たちは気づかなかったのよ。

キャリアひと筋だった一世代前の女性たちを、今の女性はこう言って哀れむ。

一方、この店で隣にすわった中年男性は、そんな傾向を嘆く。

ニューヨークがニューヨークらしくなくなって、つまらなくなってしまったよ。僕はそろそろ、ヨーロッパにでも、移ろうかと思っているんだ。

They didn't know what they were missing.
＝失っていたものに、彼女たちは気づかなかったのよ

マンハッタンは大劇場

Morning, Noon and Nightを観に行った。リンカーンセンターの劇場で行われているブロードウェー劇だ。これは男優であり作家でもあるSpalding Grayによるモノローグである。舞台の中央に置かれた机を前にGrayがすわり、ただ話し続ける。一九九七年十月のある一日の、彼の生活を語っていく。といって、タイトルが示すように、何が起こるわけでもない。目覚めとともに、妻や子どもたちとのごくふつうの日常生活が始まり、赤ん坊の息子に蹴《け》られながら眠りに落ち、一日が終わる。五歳の息子の、「ダッド、ハエってどうやってお祝いするの？」といった質問に答えたり、アイスクリームを食べに連れていったりしているうちに、仕事に取りかかる時間もなく、平和な一日は過ぎていく。

彼の語りの中で、David Copperfieldのマジックショーを観に、息子と一緒にマンハッタンに出かける場面が出てくる。Copperfieldのショーは、ラスベガスを思わせる華やかさ、きらびやかさがあり、エキサイティングで誰もが楽しめるものだ。

ショーに行く途中、マンハッタンで大きな望遠鏡を持ってすわっている男がいて、二ドルで土星の環が見られるという。息子も僕ものぞいてみたんだ。土星の環なんて、それもこんなにはっきり見たことは一度もない。それはすばらしかったよ。

　地下鉄に乗ると、女が叫んでいるんだ。「ホテルの火事で娘が大やけどしたんだよ。全身の六十パーセントを大やけどしたんだよ。あたしは壊疽《えそ》で足の指三本、腐っちまった。ほら、自分の目で確かめてみなよ。なくなっちまった足の指三本だよ」と足を指すのさ。靴を切り取り、足の指がなくなっているのが見えるようになっている。明らかに演技が混じっているけれど、なかなかのものだよ。金をもらうだけの価値はあるね。

　今度は四人のストリート・ダンサーがやってきて、僕らの目の前で、ポールの周りをスウィングしたり、つり革にぶら下がったりして、踊り始めた。なんて見事なショーで、なんて見事な席だったことか。こうしてDavid Copperfieldのショーにたどり着いたわけだ。

It was...well, it was...good, too. It was just a different kind of show.

うん、それもまあ、よかったよ。単にちょっと変わったショーってとこかな。

There's nothing like the streets of New York City.

ニューヨークの街に及ぶものはない。私も大きくうなずいた。

There's nothing like the streets of New York City. ＝ニューヨークの街に及ぶものはない

コーヒーとドーナツ

オペラは楽しいというイメージが、私にはまるでなかった。十六年前に観光でニューヨークを訪れた時に、メトロポリタン・オペラハウスの天井桟敷でオペラを観た。

当時、オハイオの大学に一年間、留学していた私は、友人と一緒に何も知らずにジーンズ姿で出かけていった。華やかな衣装に身を包んだ人々の目を避けるように、私たちは頂上を目指した。今となっては何を観たのかも覚えていないが、筋もわからず、音楽も聞いたことがない。おまけに舞台ははるか彼方だ。私はひたすら眠りこけ、あちこち歩き回った観光の疲れをいやした。

その翌年からニューヨークに住み続けたが、何年もオペラハウスに足を踏み入れたことがなかった。ところが、しばらく東京で生活するようになって、ニューヨークのすばらしさに改めて気がついた。

ある時、メトロポリタン・オペラのプログラムを見ていると、翌週、パバロッティが「トスカ」に出演することになっている。チケットは二五ドルから二二五ドルと、値段にかなりの幅がある。だが、チケットはすべて売り切れだった。

オペラには立見席があることを思い出した。天井桟敷の後ろのほか、一階オーケストラ席の後ろにも立見のセクションがあり、そこはオペラ通も多いと聞いた。

立見券を手に入れるためには、公演直前の土曜日朝、チケット売り場に並ばなければならない。オーケストラの後ろの立見席でもわずか十六ドルだ。ひとつの公演につきひとり一枚だが、同じ週のほかの日のチケットを買うことはできる。その週は、ドミンゴも「オテロ」に出演する。一度、並べば、両方、観ることができるのだ。

チケット窓口に電話を入れると、売り出し開始は十時だが、朝七時には来ていた方がいい、と言われた。

じゃあ、最低三時間は待つわけですね。

So, bring coffee and doughnuts.

だから、コーヒーとドーナツを持ってらっしゃい。

コーヒーとドーナツといえば、アメリカ人が大好きな朝食だ。

パバロッティとドミンゴの生の声を、一日おきに聞けるとは、なんという贅沢だろう。

早起きをし、地べたにすわり込み、ドーナツを食べながら、並んで待っていれば、信じられない料金でそのチケットを手に入れることができる。ちょっと努力をすれば、オペラに誰でも手が届く。そこにまた私は、アメリカを見た。

So, bring coffee and doughnuts.＝だから、コーヒーとドーナツを持ってらっしゃい

夜明けのリンカーンセンター

立見券を買うために並ぶ前の夜、友人と九時に会って食事をし、かなり話し込んでいたため、ベッドに入ったのは二時半だった。決意が鈍ったが、パバロッティとドミンゴが同じ週に歌うことなど、めったにないだろう。

私は目覚ましを朝四時半にセットした。

六時頃、メトロポリタン・オペラハウスのあるリンカーンセンターに着くと、辺りはまだ真っ暗だった。ここには劇場や音楽ホールが集まっている。夜の華やかな雰囲気と打って変わり、味気ないばかりか、かなり不気味だ。人影はまったくない。

一番乗りではないか。勤勉な日本人の私はやはり違う、と自己満足にひたりながら、しばらくそこで待っていた。が、誰もやってこない。そのうち、やっとふたり連れが現れた。

あなた、番号札をもらうのは下よ。

そう言われて、ふたり連れと一緒にオペラハウスの駐車場を通り、地下に入ると、そこに番号札を手渡す女性たちがいた。渡された番号は106。すでに百五人が私より先に来ていたのだ。

この番号でもチケットは買えるはずだが、一階オーケストラ席の後ろのセクションでは、立見の最後列、つまり三列目しか手に入らないかもしれない。

八時にここで点呼を取るので、遅れずに戻ってくるように、と念を押される。

家に戻らない人は、六十丁目とアムステルダム街のダイナー（庶民的なレストラン）で時間をつぶしているわよ。そう教えてくれる人がいた。

言われたとおりにそこへ行くと、それらしき人々がいた。ソーセージと目玉焼きに、トースト、コーヒーという典型的なアメリカの朝食を注文したが、睡眠不足で食欲もあまりない。

八時に戻ると、点呼が始まり、私たちはずらりと一列に並ばされた。やがて徐々に列は乱れ始め、人々は地べたにすわり込み、寝転がり、思い思いにドーナツやベーグル、コーヒーやミネラルウォーターといった朝食を口にしたり、本を読んだりし始めた。

私は睡眠不足で頭痛がひどく、気分が悪くなってきた。

列が移動し始めて、私が寝ていたら起こしてね、と前に並んでいた日系人の若い男の人に頼んだ。

もちろん。ただし、僕が起きていたらね。

十時四十分、ついに「オテロ」と「トスカ」、さらに「アイーダ」のチケットを手に入れた。「オテロ」と「トスカ」は二列目。「アイーダ」は最前列だ。

晴れてチケットを手にし、オペラハウスの外に出たとたん、数人が話しかけてきた。

チケット、売ってくれませんか？

After all this work？ No way！

こんなに苦労したのに？ とんでもない。

さっきの日系人の男性も私も、チケットをしっかり握りしめた。

After all this work？＝こんなに苦労したのに？

メトロポリタン・オペラの立見席

突然、オペラに目覚めた私は、ある月など九回もオペラハウスに通った。プレス用のチケットをもらうこともあったので、そのうちの半分は一階オーケストラ席だった。が、立見にはそれなりのドラマがあった。

初めての立見は、「アイーダ」だった。オーケストラ席の後ろに三列に立つようになっていて、私は最前列だった。

立見席にもひとつずつ、前に小さなスクリーンがついていて、英語で字幕が現れる。だが、舞台そのものは、背が高くないと、三列目では前の人の頭が邪魔になり、見づらそうだ。

ハーイ、元気かい？

前の週の土曜日に、チケットを買うために並んだ時に知り合った中年の男の人が、声をかけてきた。彼はかなりのオペラ通のようで、待っている間にいろいろ教えてくれた。ほかにもあの朝、見かけた人が何人かいる。

私の隣には、背の高い若い男の人がいた。彼はしばらく辺りを見回し、三列目に背の低い女の人を見つけると、言った。

前に来たらどうですか。場所を替わってあげますよ。

話しかけられた女の人は五十歳くらいだろうか。言葉には出さなかったが、信じられないといった表情で、男の人を見た。女の人がためらっていると、彼は持ち物をまとめて彼女のところへ行った。

女の人がお礼を言うと、彼が答えた。

My pleasure.

どういたしまして、はほかにもいろいろな言い方がある。

No problem. You're welcome. It's OK. You bet.

それは僕の喜びです、と彼は言った。耳にするたびに、すてきな言葉だと思う。

女の人が私の隣にやってきた。観光でニューヨークを訪れているアルゼンチンの人だった。私は片言のスペイン語で会話を交わした。が、彼女はあまり口数が多い方ではなかった。

オペラが始まり、私たちは舞台に釘づけになった。

アリア（独唱歌）になると、その女の人はわずかに体を揺らしながら、うれしそうに小さな声で一緒に口ずさみ始めた。

私、若い頃、プロのバレリーナだったの。「アイーダ」で踊っていたの。自分から話しかけることはなかったのに、この時だけは、彼女が私に向かってささやいた。

思い出いっぱいの旅になるように、と彼女に別れを告げ、オペラハウスを出た。ふり返ると、シャンデリアライトで黄金色に輝くオペラハウスが、暗闇に浮かび上がっている。人々との出会いが、この光に華やかさだけでなく、優しさを与えてくれる。

My pleasure. = どういたしまして

ふたりの母親

セントラルパークにあるカジュアルな野外のカフェで、日本人の友人とおしゃべりをしていると、白人女性に声をかけられた。

Can we share the table ?

テーブルを分かち合ってもいいですか、同席してもいいですか、ということだ。ほかに空いているテーブルがなかったのだ。

ローラーブレードを履いた五歳くらいの女の子が、そばに立っている。どちらもブロンドの髪でとてもよく似ている。ひと目で、親子なのだろうと思った。

どうぞ、と答え、私は友人とおしゃべりを続けた。

あの人たち、何語、しゃべってるの？　と女の子が母親らしき女性に聞いた。

そのひと言で、テーブルをはさんで私たちの会話が始まった。今はブルックリンに住んでいて、タイで生活していたこともあるという。

しばらくすると、別の女性がホットドッグやコーラをのせたトレーを持って現れ、女の子の隣にすわった。

その人に向かって、少女は「マミィ」と言った。
あら、あなたがお母さんなんですか。
私が尋ねると、母親だと思っていたブロンドの髪の女性が、こう言った。
She has two mothers.
この子には母親がふたりいるのよ。

つまり、この女の子はレズビアンの女性ふたりに育てられているのだ。

ブロンドの髪の女性にも似るようにと、彼女と同じ髪と目の色のドナーの精子を精子バンクで買い求め、もうひとりの女性が妊娠し、出産したという。ブロンドの髪の女性はフランス人で、もうひとりはアメリカ人だった。

タイでもみんな、快く受け入れてくれたわね、とふたりはうなずき合う。

食事が終わると、ローラーブレードを履いた女の子は、ふたりの母親に手を引かれて、セントラルパークの人込みに消えていった。

同席すれば、テーブルだけでなく、会話も、そして人生も分かち合うことになる。それがニューヨークのすてきなところだ。

Can we share the table ? =同席してもいいですか

小学校のカウンセラー

近代美術館（MoMA）のカフェや中庭で、毎週金曜日の夕方、無料でジャズコンサートが行われている。この日はシカゴ出身の黒人のピアニストだった。ビールやコーヒー、サンドイッチなどを口にしながら、演奏を聞くことができる。当時、金曜日は美術館が夜九時まで開いていて、入館料も“Pay What You Wish”、つまり、払いたいだけ払いなさい、いくらでもいいですよ、ということだった。

人々は仕事帰りにふらりと立ち寄る。客層はさまざまだ。若いカップルもいれば、お年寄りもいる。三歳くらいの女の子をひざに抱き、リズムを取っている男の人もいる。仕事が早く終わりそうだったら顔を出すわ、と言っていた私の友人は現れなかった。隣にすわっていたデボラという女の人の友人も結局、来なかった。私たちは演奏の合間に雑談をした。

デボラはジャマイカ出身だ。ハーレムの小学校でガイダンスカウンセラーをしている。幼稚園から六年生まで千人以上いる子どもたちは、ほとんどが黒人かヒスパニック（中南米出身）だ。

子どもたちは話を聞いてくれる人がいるのがうれしくて、私に会いに来るのよ。昼休みも友だちと遊ばず、私のところに来たり、ね。親が亡くなったり、刑務所に入ったりしていて、里親に育てられている子も多いの。だから、温もりを求めているのね。

デボラはもともと、大学で学ぶためにひとりでジャマイカからやってきた。すでに叔母がニューヨークに住んでいたから、心強かった。大学院にも進み、カウンセリングを勉強した。

学校でカウンセリングをやりたいと思っていたわけじゃないの。でもインターンでやってみたら、とても気に入ったので、こうなったわけ。ニューヨークに長居するつもりはなかったのに、もうあれから二十年だわ。

叔母に言われたの。

New York City can grow on you.

ニューヨークって、初めは好きじゃなくても、そのうちだんだん、虜《とりこ》にされちゃう街だよ、ということだ。

私たちは電話番号を交換して、別れた。

少なくとも、私がニューヨークの虜になる大きな理由は、こういう場で、こうした出会いがあるからだ。

New York City can grow on you.＝ニューヨークって次第に虜にされる街だよ

たらい回し

ニューヨーク市の役人を相手に取材のアポを取るのは、かなりの忍耐を要する。市立高校にある、十代の妊婦のためのプログラムの取材をしたかった。

教育委員会の広報部に電話を入れた。ガムをくちゃくちゃ噛《か》みながら、男の人が電話に出る。

う〜ん、この番号にかけてみたらどうかな。

そこに電話をすれば、取材の許可が取れるんですね、と私が尋ねる。

Try it.

ま、かけてごらん。少なくともそこで、どこに電話をすればいいか、教えてくれるよ。

お礼を言って、その番号にかけた。女の人が出た。同じことを説明した。管轄の部に電話を回すという。

成績表担当に電話をするべきだったのよ、とその女性が言う。

それが妊婦のプログラムと関係があるんでしょうか。

話してみればわかるわよ、と言い終わらないうちに、電話が回された。男の人が出た。

もう一度、こちらの趣旨を伝える。

どうしてここにつながったんだろうね。生徒の成績を処理するオフィスだよ。

私もそう思ったんですけど。

渉外部に電話してみるべきだよ、と彼が提案する。

そこに最初に電話したんです。広報部でしょ。

手元にある番号は渉外部だよ、と言って、彼は新たな番号をくれた。広報部のものとは違う。

市長に電話をするのがいいかもしれない。すべてを把握しているから。彼の番号もあげるよ。でも一番いいのは渉外部だ。

再び、お礼を言い、その番号にかける。女の人が出た。高校生のような話し方だ。再び取材の旨をいちから説明した。これだけ同じことを繰り返させられれば、私もかなり早口で説明できるようになっている。

Try this number.

ここにかけてみて、と新たな番号をくれる。

これ、もう六つ目の電話番号ですけど、と私がため息をつく。

じゃ、あとで電話してくれてもいいけど。今、ここには私しかいないの。そのうち誰かが戻ってくるわ。あとでまたかけて。

それじゃ、伝言を残したいんですけど。

わかったわよ。名前は？

二十分後に担当者から電話が入り、私はまたいちから説明する。

オーケー。外事部に電話しなさい。外部からの用件はそこの管轄なの。そこから校長に連絡し、すべて手配してくれますから。いいですね。

こうして、手に入れた七つ目の番号にかけてみる。

何度かけても、誰も出ない。

Try.

これほどいい加減な言葉はない。

Try this number.＝この番号にかけてみて

十ドルのオペラ

年老いたらやはり、日本で生活したい。ニューヨークに長年住む日本人の中にも、そう思っている人は多い。私も、とくにニューヨークのような大都会で年老いていくのはさみしい気がしていた。

まだ先のことだが、最近、この街で年老いていくのも悪くないかもしれないと、感じるようになった。

五十歳以上の単身女性が、手ごろな家賃で入居できるアパートを、友人が見つけた。アッパー・イーストサイドの一等地だ。収入が一定以下という制限があるが、入居時にまとまったお金を払えば、ひと月千ドル程度で住める。

友人は私と同い年だが、たまたまそこに住む九十代の女性と知り合いになったのだ。その女性は今でもダンスをやり、マンハッタンのいろいろなイベントやコンサートに顔を出しているという。その老人は友人にこう諭《さと》した。

順番待ちが大勢いるんだけど、あたしはワスプだから待たずに済んだんだよ。ワスプのあたしが推薦して、保証人になってやれば、オリエンタルのあんただって、入れてもらえるよ。五十歳なんてあっという間に来るんだから、とにかく、今からしっかり貯金して、物を増やさず、身軽にしておくことだよ。

私は同じ頃、七十歳ほどの女性のふたり組と、ニューヨーク・シティ・オペラの一階オーケストラ席で隣になった。ふたりとも郊外に家を持っているが、リンカーンセンターの近くにアパートを購入し、週三日はマンハッタンに繰り出してオペラや演劇を楽しむという。

六五歳以上になると、シティ・オペラは空きがあれば、オーケストラ席でも十ドルで当日券が買えるのよ、と言う。

私がうらやましがっていると、教師をしていたというその女性が言った。

You'll have to pay your dues first.

ニューヨークに住み、日々のストレスと闘い、税金を払い、一市民として社会に貢献し、私たちのような年齢になって初めて、そういう恩恵にあずかれるのよ、ということか。

教師らしいお言葉であった。

You'll have to pay your dues first.＝まず、やるべきことをやってからね

春を待てないランチ

厳しい冬が終わり、太陽が少し暖かく感じられるようになると、ニューヨーカーたちはもう待ち切れない。寒がりの私よりひと足先に、彼らはオフィスを飛び出し、外でランチを食べる。

一日中、摩天楼の空気の悪いオフィスにこもっていれば、外の空気も吸いたくなる。日本人ビジネスマンたちは、一様にスーツのポケットに手を入れ、数人で固まり、五番街を日本食レストランに向かって歩いている。私も時にはその仲間入りをするし、カフェやレストランでランチ・スペシャルを頼むこともある。

でも、天気のいい日には、マンハッタンのストリートをぼんやり眺めながら、外ですわり込んで食事をするのが好きだ。近くのピザ・ショップでイタリアン・ソーセージとマッシュルームのピザとコーラを買ったり、デリでサンドイッチを作ってもらったりする。

惣菜を量り売りしているデリで、ラザニアやチキン、パエリア、寿司の太巻き、サラダなど、いろいろなものを少しずつ、透明なプラスチックの容器に入れてくることもある。まだ少し肌寒い日は、スープにフランスパンを買ったりする。

昼時になると、五番街に面したニューヨーク公共図書館の前の長い石段に、人が並んですわり、思い思いにランチを楽しむ。

図書館の裏には、芝生と木立で緑豊かなブライアント・パークがある。椅子とテーブルがあちこちに置かれている。そこで体いっぱいに太陽を浴びるのも、気分がいい。同僚と一緒に食事をするのも楽しいが、たまにはひとりで、何もかも忘れ、道行く人々をぼんやり眺めているのもいい。

Just for a change.

いつもと気分を変えて。

そしてこれが、恋の芽生える瞬間になることもある。私の友人も、たまには気分を変えてと、ある日、ブライアント・パークでひとりランチを取っていた。たまたま隣にすわったアメリカ人男性と会話が始まり、気が合ったふたりのつき合いは、それから三年も続いている。

彼女にとっては、いつもと気分を変えただけ（just for a change）のつもりが、人生の大きな転機（a change of a lifetime）になるかもしれない。

Just for a change. ＝いつもと気分を変えて

女？

マンハッタンの四二丁目あたりでバスに乗った。

次は三三丁目、と運転手が言った。

ふつうならバスの停留所は二、三ブロック（丁）ごとにある。

これ、急行ですか、と私は隣にすわった黒人女性に尋ねた。

そうよ、と彼女は答えた。

考えてみれば、急行のバスっていうのもあったわね。

New York City is amazing. It's got everything.

ニューヨークは驚くばかりよ。何だってあるわ。

すると前にすわっていた黒人女性が、こちらを向き、うなずきながら言った。

Yes. New York City has got everything.

そうよ。ニューヨークには何だってあるわ。

その後、しばらく私たちは沈黙していた。

She is a he. =彼女、男よ

隣の女の人がハンドバッグを開け、ペンと小さな紙切れを取り出し、何やら書き始めた。終わると、彼女は私の腕を軽く叩き、その紙を見せた。

SHE IS A HE.

そう書かれていた。つまり前にすわっている女の人は、じつは男だと言うのだ。

靴を見てごらん。

彼女が靴を指差して、そうささやく。その人は前にすわっていたが、そこだけ座席が横向きなので、全身がよく見える。確かに足のサイズは、男並みに大きかった。

それと、手を見てごらん、と再びささやく。

そして、体全体の大きさからも歴然でしょう、と言わんばかりに、体のシェープを両手で表現した。

It's a he. ペットなどの性別を伝える時に、こう言うことはある。前にすわっていた女（男?）の人がさっき、しみじみとこう言った意味がよくわかった。

New York City has got everything.

五十ドル札の災難

最寄りの地下鉄の駅で、一週間乗り放題のプリペイド・カードを買おうとしたが、一ドル札と五十ドル札しかない。カードは十七ドルだった。
五十ドル札を渡すと、売り場の黒人女性に、
Too big.
大きすぎるよ、とひと言で、突き返された。
これしかないんですけど、と言うと、
Too bad.
あいにくだね、とまたひと言。
どうしたらいいんですか、と聞く私に、
Get change.
くずしてきな、とこれまたひと言。
どこで？　とさらに聞けば、
Go upstairs.

上に行きな、とあきれた様子で、首を左右に振る。

頭を使ったらどうだ、と言わんばかりだ。

単語ふたつで、彼女はすべてを表現する。

お見事だ。

とはいえ、上でお金をくずしてこいとは、地上に上がれば店がいろいろあるだろ、ということか。

五十ドル札は受けつけないなら、ひと言、そう書いておいてほしいものだと思っていたら、売り場のすぐ横に、小さな字できちんと表示されていた。

三十ドル以上の購入に限り、五十ドル札を受けつけます。


現金をあまり持ち歩かないアメリカでは、五十ドル札は大金だ。この時も、銀行で日本円からドルに替えたばかりだった、という特別な事情がある。

五十ドル札など持っていようものなら、財布を開ける前にはきょろきょろ周りを確認し、金持ちであることを人に知られないように気をつかうものだ。

スーパーマーケットで百ドル札でも渡そうものなら、レジにマネージャーが呼び出される。マネージャーはお札を仰々しく両手で掲げて透かし、偽札でないかを確認する。その儀式を終えて初めて、私は無事、支払いを許されることになる。

地下鉄で五十ドル札を拒否され、急いでいた私は途方に暮れた。と、少し離れたところに、クレジットカードで支払える自動販売機をみつけた。
だが、こういう機械に、私は猜疑心《さいぎ》を抱いてしまう。クレジットカードがのみ込まれたら、ボタンを押し間違えたら、どうするのだ。
あの〝二単語おばさん〟に助けを求めても、
Too bad.
あいにくだね、で片づけられてしまいそうだ。
キャッシュレス（cashless）社会にも、ワードレス（wordless）社会にも、私はなじめそうもない。

Get change. = くずしてきな

地下鉄に女神、現れる

自動販売機は信用できない。あきらめて地上に上がろうとすると、後ろで声がした。

I will give you change.

くずしてあげますよ。

ふり返ると、黒人の女性が立っていた。二十ドル札二枚と十ドル札一枚をさっと財布の中から取り出すと、私に手渡した。

こういう時に、救いの手が差し伸べられるのが、ニューヨークなのだ。

何度もお礼を言う私を残し、女神は笑みをたたえながら、去っていった。

ホームに降りていくと、女神が電車を待っていた。

五十ドル札じゃだめ。せめて二十ドル札を持っていないとね、と彼女は忠告する。

Fラインの地下鉄は混んでいたので、私たちは離れてすわった。私はセントラルパークのハロウィーンの催しに出かけるところだった。パークは南北に長い。会場は、東西の入り口のどちらから入っても、ほぼ同じ距離のところにある。

ここからは東口の方が近い。ところがうっかりしていて、乗換の駅で降りそこねてしまった。仕方がないので、西口を目指すことにした。

七番街の駅で、乗り換えのために降りた。別の電車がホームに到着したが、それで間違いないか不安だったので、確認しようとうろうろしていた。

どの駅まで行くの？

背後から声がした。ふり返ると、そこにはあの女神が立っていた。

これに乗ればいいわ、と彼女が教えてくれる。

You seem to be there when I need you.

必要な時、あなたはいつも現れてくれるのね、と私が言う。

女神は黙って、ただ笑みを浮かべている。

同じ地下鉄に乗ると、彼女はバッグから地下鉄の地図を取り出し、これを持っていなさい、と私に手渡した。

どこに行くのか、と彼女は私に尋ね、それなら東口から行くべきだった、と言った。

乗り過ごしてしまったの。

それじゃあ、仕方がないわね。セントラルパークを歩く時には、気をつけてね、と彼女が言う。

昼間でも？

そうよ、気を抜いていてはだめ。

お礼を言って、私は地下鉄を降りた。

彼女は私を、右も左もわからない観光客だと思ったに違いない。ニューヨークに住み始めて十四年。恥ずかしくて、とてもそんなことは口にできなかった。

You seem to be there when I need you. ＝必要な時、あなたはいつも現れてくれるのね

注文の多いタクシー客

私はタクシーに乗ると、必ず運転手と話をする。運転手は移民が多い。なぜ祖国を出て、ニューヨークに来たのか。祖国をどう見ているのか。彼の目にニューヨークの街、ニューヨーカーはどう映っているのか。〝おふくろの味〟が食べたくなる時、どのレストランに行くのか。

私は小さなタクシーの空間の中で、まだ訪れたことのないたくさんの国々を身近に感じ、楽しくなる。わが家で私が作る、夫の大好物のカレーのレシピは、いつかインド人の運転手が教えてくれたものだ。

信じられない。私は絶対に話しかけないわよ。ただでさえ、この国はひとつのことに集中できない人が多いんだから。話に夢中になられて、事故にあって、むち打ちにでもなったらどうするのよ。

そう言って驚くのは、ニューヨーク生活七年目の日本人の友人だ。彼女は続ける。

私は、運転手に気分よく安全運転をしてもらうために、何を聞かれても、イエス、サンキュー、サー！　って、にこやかに答えるわよ。

どの道を通っていきたいかって聞かれたら、これまた、にこやかに、

It's up to you.

それはあなたにお任せしますわ、って答えるの。

それでも、わざと回り道でもされたりしたら大変だから、十分もあれば目的地に着くとわかっているなら、

どこをどう行っても、それはあなたにお任せしますけど、私、急いでいるんです。十分でそこに行かないと、とっても困るの、って言って、短距離で行かざるを得なくするのよ。

で、もちろん、

安全運転でお願いしますね、と必ず、にこやかにつけ足すわ。

It's up to you. と言いながら、注文の多い客だ。

運転手に負けず劣らず、客もまた個性的なのが、ニューヨークである。

It's up to you. ＝あなたにお任せしますわ

石段にすわる女の子

数年前の夏の夕方、マンハッタンを歩いていると、アパートの前の石段にすわって、幼い女の子が母親らしき女性とアイスクリームを食べていた。

その子の写真を撮らせてもらえるかどうか、私は母親に尋ねた。数か月後に出版することになっていた本の表紙に使えるかもしれないと思ったからだ。

もちろんよ。私の父も写真家だったから、あなたに親近感を感じるわ。

母親は快く、承諾してくれた。

その子はなかなか気難しく、なだめすかして撮影していたが、やがてぐずり始めた。現像してみたが、今ひとつ写真が気に入らなかった。ぜひとも表紙にしたいと考えたので、後日、母親に電話を入れ、もう一度、撮らせてもらえないかと頼んでみた。

母親は申し訳なさそうに話し始めた。

じつは夫が神経質になっているの。あなたが養子斡旋《あっせん》業者と通じていて、うちの子の写真を撮って、あとで誘拐するんじゃないかと言うのよ。あなたはとても感じがよかったと話したんだけれど、僕が斡旋業者だったら、まさにそういうやつを送り込むよ、って言うのよ。

母親に会った時に渡した名刺は、信用できないという。ほかの人のものかもしれないからだ。

やがて父親が電話に出た。ニューヨークのどこに、どのくらい住んでいるか、どこでどんな仕事をしているか、本当に本を書いているか、運転免許証を持っているか、とあれこれ質問された。

私はアメリカの免許証を持っていない。ニューヨーク市に住む人で車を持っていない人は多い。地下鉄やバス、タクシーで十分、間に合うし、駐車に頭を悩ませたくないからだ。

だがその父親は、十年もアメリカに住んでいながら、免許証を持っていないというのはどういうことか、と責めてきた。

あら、私だって、免許を取ったのは、そんなに昔のことじゃないわ。ニューヨークじゃ、車なんて必要ないんだから、と電話の向こうで妻が夫に向かって話しているのが聞こえる。

ここまで疑われて、さすがの私もだんだん腹が立ってきた。

Forget it！

もう結構です！

思わず、そう口から出そうになった。が、じっと堪《こら》えた。

なにしろ、これには本の表紙がかかっていた。

Forget it！＝もう結構です！

私は誘拐魔

あなたは何においても、とにかく神経質なのよ。

この父親があまりにも疑うものだから、私を気の毒に思ったのか、電話の向こうで妻がそう話しているのが聞こえる。

これほど神経質になるのも、アメリカではそれだけ誘拐事件が多いからだ。スーパーマーケットで食料品を入れてくれる紙袋やミルクのパッケージに、missing children（行方不明の子どもたち）の顔写真が載っていたりする。テレビでも、コマーシャルの前などに数秒間、顔写真が映し出される。

私はこの父親に、仕事をしていたニューヨークの新聞社の連絡先、社長の名前、これまでに出版された私の本が売られている、ニューヨークにある日本の書店の連絡先を教えた。父親は、それをすべて正確に、ローマ字のつづりをひとつひとつ口にしながら、電話の向こうで書き留めているようだった。

やがて、父親が言った。

とりあえず、明日、これまでに出版されたあなたの本をすべて、それとパスポートを持って、うちへ来てくれ。

We'll take it from there.

すべてはそれからだ。

翌日、言われたとおりに用意をして、父親を訪ねていった。呼び鈴を鳴らすと、父親だけが現れた。彼の表情はやや険しかった。

笑顔で挨拶し、改めて自己紹介するうちに、彼の態度は変わり始めた。少し気まずそうに、私の本を受け取ると、ローマ字で記された著者名を確認した。

しばらくすると、母親と娘が犬の散歩から戻ってきた。

私に気がつくと、母親が微笑んだ。そして、父親に向かって言った。

というわけで、この人、誘拐魔のように見えるかしら？

いや。ま、念には念を押さないとね。

そう答えて、父親は笑った。

別れぎわに彼が言った。

今度、ぜひ、うちに食事に来てください。

この日、撮った娘の写真が無事、本の表紙を飾ったことは、言うまでもない。

We'll take it from there.＝すべてはそれからだ

双子の母のため息

ある夜、いつもよりかなり遅れて、夫が家に戻ってきた。バスがなかなか来なくて、ずいぶん待たされたよ、と言いながらも、なんだかうれしそうである。

待てども、待てども、バスは来ない。本を読むには、もう暗すぎる。ほかにすることもない。バス停のベンチには、黒人の女の人と自分しかいなかった。

I don't believe this.

まったく、信じられないよ。

その女の人はあきれたように首を横に振り、ため息をついている。仕事の帰りなのだろうか。疲れ切った様子だ。

どちらからともなく、会話が始まった。その人は身の上話を始めた。夫が家を出ていき、離婚。双子をひとりで育てているという。毎日、本当に大変なんだよ、私が働いている間、妹が子どもたちの面倒を見ていてくれるんだけどね。

自分も一卵性の双子である夫は、でも双子もなかなかいいものですよ、と高校の頃のエピソードを話した。男子校に通っていた双子の兄が、一度、男女共学を体験してみたいというので、制服を取り替え、そ知らぬ顔をしてそれぞれ相手の学校に登校した、というこれまで何度もしてきた話だ。

それを聞くと、女の人はパンと手を打ち、大笑いした。

そんな取り留めのない話をしながら時間をつぶしていると、予定より三十分以上遅れてバスがやってきた。

混んでいたので、この女の人と夫は離れた席にすわった。

終点で夫がバスを降りると、さっきの女の人がドアの前で立っていた。そして夫の腕を軽くつかむと、こうささやいた。

I really enjoyed talking with you. You made my day.

話ができて、とても楽しかったよ。おかげで、今日一日がとてもいい日になったよ、ということだ。

なんとすてきなほめ言葉だろう。

玄関のドアを開けた夫の顔にも書いてあった。

She made my day.

You made my day.＝おかげで、とてもいい日になったよ

死亡記事と空きアパート

2J（二階のJ号室）が空くらしいわよ。ベッドルームがふたつあるのに、今、住んでいる人の家賃は格安だから、値上げしても安いはず。大家に連絡してごらんなさい。数年前、こんな手紙が、私の部屋のドアの下から差し込まれていた。同じ建物に住む、仲のいい六十代の女性、ローズマリーからだ。

ニューヨークでは同じアパートの部屋でも、家賃が大きく違う。ちなみに当時、私の部屋はワン・ベッドルーム（日本の1LDK）だが、2Jの家賃の一・六倍。2Jの方がベッドルームの数が多く、広いのに、である。

ローズマリーは何十年もここに住んでいるので、2Jのようにベッドルームがふたつあるのに、四百五十ドルしか払っていなかった。家賃が大幅に上がるのは、住人が替わる時だからだ。

彼女が急いで手紙を書いて届けてくれたのも、私がどれだけの家賃を払っているか、知っているからだ。

だめでもともと。とにかく聞いてごらんなさいよ、と彼女が念を押す。

さっそく手紙を送った。二日後に大家である会社の社長から電話が入った。返事は予想していたとおり、

It's already taken.

もう入居者が決まりました。

どうせ新しく入る人は、大家の知り合いに決まってるわ。格安の部屋が空いたら、知り合いに回すのよ、とローズマリーは言う。

ニューヨーク・タイムズ紙などの広告に掲載された不動産を見に行く時には、気に入ったらすぐに契約できるように、小切手を持っていけと忠告する。しかし、広告が掲載される前に情報を手に入れるにこしたことはない。だからローズマリーも、私たちのアパートで誰かが引っ越すと耳にすると、すぐに知らせてくれる。

日々、新聞の死亡記事に目を通し、部屋の空きがないかどうか、目を光らせている人もいる。とくに老人の場合、一か所に長く住んでいる可能性が高い。長く住んでいれば、それだけ家賃は低く抑えられているはずだからだ。

ここまでくると悲しい限りだが、ニューヨークの不動産事情は厳しい。アパート探しをしている人にとって、It's already taken. のひと言ほど、辛いものはない。

It's already taken. ＝もう入居者が決まりました

天井が落ちてきた

ニューヨークのアパートでは、住人同士のトラブルがよくある。大学院を卒業した直後、私のアパートの真上に中年の韓国人女性が住んでいた。

一度、夜中にものすごい音で目が覚めた。バスルームから聞こえてきたようだったので、行ってみると、天井の一部が崩れ落ち、大きな穴が開いている。

翌朝、すぐに大家に連絡を入れると、上の階の韓国人がバスタブの外の床の上で頭を洗っていて、底が抜けたのだという。日本や韓国の風呂じゃあるまいし、そんな風呂の入り方をアメリカではしないことを、知らないのだろうか。

明け方の四時頃になると、上でコインをばらまく音がして、目が覚める。グローサリー（食品雑貨店）でも経営していて、一日の売り上げを床の上に広げて、勘定しているのだろうか。その頃になると、韓国人らしい男の人の話し声や、韓国語のテレビの音が大きく響く。

毎晩のように続くので、夜中だけはもう少し静かにしてもらえないでしょうか、と頼みに行った。

ところが彼女は、私にも好きなように生活する権利があります、の一点張りだ。

私は作戦を変えることにした。

花を持っていこう。人間というのはそういうものだ。人によくされれば、人にもよくしようと思うものだ。

上の住人は、花束を抱えた私を見て驚いたようだったが、さすがにうれしそうに受け取った。

その晩、期待してベッドに入った。

コインの音も韓国語も、しっかり聞こえてきた。

私はアメリカ人の隣人に相談しようと、呼び鈴を鳴らした。

あなたなんか、まだましよ。私なんか、ほら、今も聞こえるでしょ、あの足音。

I can't stand it!

もう耐えられないわ!

確かにドタバタ走り回る足音が聞こえる。彼女は彼女で、真上に住む家族に腹を立てていたのだ。

バングラデシュから来た移民よ。見てちょうだい、この天井を。あの子たちが走り回るから、天井がはがれ落ちてきたのよ。

夜、時々、ドンドンという音がすると思っていたら、上の騒ぎがひどくなると、彼女がホウキの柄《え》で天井を突ついていたのだ。

ある日、彼女は、私に一枚の手紙を見せた。

もう我慢できなくなったのよ、と彼女は言う。

それは移民局宛に彼女が書いたものだった。どれだけ被害が大きいかを訴えたあと、こう結んである。

隣人に迷惑をかけ、協調性を持って暮らしていけないこのような人たちに対して、わが国に入国し、居住する許可を与えないでいただきたい。

住人はすでに変わったかもしれないが、あのアパートではおそらく今も、同じような闘いが繰り広げられているのだろう。

その後、私は環境のよい、静かなアパートを探し、引っ越した。壁が厚く、天井が高く、周りの物音は一切聞こえない。ピアノも堂々と弾ける。極楽だ。

I can't stand it！＝もう耐えられないわ！

毎朝の永久の別れ

Oh, my God! Wow!

友人のゲイルは朝、テレビを見ながら、少なくとも三度は叫び声をあげる。その頃、私は一時、彼女のところで生活していた。

Hmm, I didn't know that. That's interesting.

ええ、それは知らなかったわ。なるほどねぇ、と具体的な場合もある。

What? と私は一応、尋ねるようにしている。感激や驚きは、ほかの人と分かち合えば、二倍になる。

ものすごく背の高い人がテレビに出てきたとか、高額の宝くじを当てたとか、内容はそんなものだ。時には、それを共有するために、Come here. とテレビのあるリビングルームへの移動を命ぜられる。

仕事に出かける時には、

OK, I'm out of here.

じゃ、行ってきます、と言いに来る。

そして、永久の別れのような、長い挨拶をする。

Have a nice day, work hard, good luck with the interview, enjoy the show and see you late tonight, if not, tomorrow morning.

よい一日を。一生懸命働いて。取材がうまくいくように。ショーを楽しんで。今夜遅くに、でなければ、明日の朝、会いましょう。

その日一日の私のスケジュールに応じて、挨拶は変わる。

二匹のネコへの別れも忘れない。

I'll leave the window open for you. See you, girls.

あんたたちのために、窓を開けといてあげるわね。じゃあね、お嬢ちゃんたち。

しかし、こう言ってからも、いつも彼女はしばらく家にいて、キッチンやリビングルームをうろうろしながら、鍵や携帯電話を探し回っている。

必要なものを見つけると、再び私に挨拶する。

Now, I'm really leaving. See you later.

さて、今度こそ本当に出かけるわ。じゃあ、またね。

そして二匹のネコに、投げキスをする。

OK, guys！ See you later.

じゃあね、あんたたち。また、あとでね。

最後に、玄関のドアを開けながら、私とネコに向かって、Bye！と決める。上機嫌の時はこれが、後ろの「ア」をやけに強調してトーンを上げた、バイ・バアイ（Bye-bye）！　になる。

こうして、ようやく静かになった部屋で、私の一日の仕事が始まる。

I'm out of here.＝じゃ、行ってきます

第二章　にくめないニューヨーカー

セントラルパークの店番

セントラルパークを歩いていた。

Come！ Come！

おい、こっちに来い、と誰かが叫んでいる。

お前だよ、お前！

ふり返ると、ホットドッグ・スタンドの脇に立つ男の人が、私を指差しているのだ。

横柄な物言いだったが、話しぶりからして移民に違いない。

何か呼ばれるわけがありそうなので、無視することもできず、彼のところに近づいていった。

ちょっと、ここに立ってろ。今から用を足してくるから、売り物を見張ってろ、と彼は言う。

依頼というより、命令である。

いいな、と念を押すと、私の返事など聞く前に、人気の少ないパークのはずれに向かって歩き始めた。

私だってそんなに暇なわけではないのだ。これだけ多くの人がパークにいるのに、よりによってなぜ私に頼むのか。観光客っぽく見えるこの日本人は、信用できると思ったのだろうか。何しろ、大事な売り物を、見も知らぬ人にあずけるのである。

そう思いながら、彼の屋台に目をやった。手前にミネラルウォーターのペットボトルやコーラの缶が並び、ホットドッグ用のパンがあり、柱にはポテトチップスの袋がぶら下がっている。

だいたい、ホットドッグをくれと言って客がやってきたら、私はどうすればいいのだ。屋台のおじさんはすっかり姿を消した。あんなところにトイレなどないはずだ。とすると、彼は外で用を足しているのだろうか。

私は中途半端に屋台の角に立ちすくんでいる。そこへアジア系の若い男の人が近づいてきた。一ドル札を手に、何か言いたげである。

あの、君、ここで働いているの？　とその人が声をかけてきた。

No. I'm just keeping an eye on it.

いいえ。ただ見張っているだけです。

私がきっぱり答える。

しばらくすると、チャックを上げながら、屋台のおじさんがこちらに向かって歩いてくるのが見えた。あの様子では、手を洗っていないに違いない。

私はそれ以来、ホットドッグ・スタンドで大好きなホットドッグを買わなくなった。

私がしっかり見張っていたのは、商品だけではなかったのだ。

I'm just keeping an eye on it.＝ただ見張っているだけです

失礼な!

仕事柄、いろいろなアメリカ人と電話で話す。国土の広いアメリカでは、直接、本人に会わずに、電話取材で済ませることもよくある。日本の大手通信社や出版社の名前を言っても、アメリカ人にはその〝重み〟が伝わらない。もちろん、できるだけの説明をするが、とくに電話の場合、相手はこちらの声で判断する部分がかなり大きい。

取材の相手により、私は声のトーンを変える。こちらが影響力を持つマスコミであることを強調した方が、相手が取材に応じる可能性が高い場合には、声のトーンを低くし、ゆっくり、はっきりと話す。

日本企業は〝男尊女卑〟のイメージが強い。私が女であるためにその〝重み〟を伝えにくい気がする。

女であることは隠せないが、小娘であると思わせてはならない。なにしろ、私の声はとても若く聞こえるらしいのだ。

他人になり変わったかのような、いつもとまったく違った声で、重々しくこちらの意図を伝えると、相手もそれにふさわしい対応をしてくれる。たいていこの方法で、私は成功する。

逆に、あまりにも影響力のあるマスコミには、相手が取材を受けたくないという場合もある。取材慣れしていない人が、とてもプライベートな話をする時などだ。こういう時にはいつものノリでいく。

昨年、取材を受けてもいいという中年の白人男性から、電話をもらった。初めて話す相手だ。離婚経験者を探していた。十分ほど話し、会う日時を決めて、電話を切った。

すると、すぐに電話が鳴った。さっき話した男の人だった。いきなり質問が飛ぶ。

How old are you, anyway?

ところでいったい、君はいくつなんだい。

三八歳ですけど。

Oh.

聞いて悪かったかな、といったやや反省のこもった声だ。

当然だ。三八歳の女性に年齢を聞くとは何事だ、などともちろん、私は言わない。だ、だって、ものすごく声が若かったから、と彼は言い訳する。

それだけを聞くために、わざわざもう一度、電話をしてきたのだ。

ところでいったい、君はいくつなんだい？　僕にはまったく見当がつかないんだけど。anyway を加えることで、そんなニュアンスになるから、失礼な感じはしない。

アメリカ人男性は女性に年齢を聞かない、などというのは大うそである。

How old are you, anyway? ＝ところでいったい、君はいくつなんだい

茶の間の訴訟

うそか本当か知らないが、アメリカの訴訟社会を象徴する有名な話がある。

飼っているネコが濡《ぬ》れたので、おばあさんが乾かそうと電子レンジに入れたら、死んでしまった。説明書にはネコを入れたら死ぬなどとひと言も書かれていない。おばあさんは会社を相手取って訴訟を起こしたというのだ。

マンハッタンのある日本食レストランでは、客に酒を出したウエートレスが訴えられた。明らかに酔っている客に酒を出すのは、違法なのである。

私も、アメリカでは訴訟が日常茶飯事であるという緊張感を、何度か味わった。

あるアメリカ人が自分の書いた原稿を新聞に掲載したいと頼んできたので、私は邦人紙に彼を紹介した。原稿は希望どおり、採用された。しばらくするとそのアメリカ人から、私のもとにファクスが送られてきた。

原稿料がまだ支払われていない。二週間以内に支払わないと法的手段に訴える、というのだ。私は邦人紙に連絡し、すぐに原稿料を本人に送ってもらった。

ニューヨーク生活の長い日本人の友人が、私のアパートを訪ねてきた。緑茶の入った湯飲み茶わんを彼女の前に置こうとした時、それと気づかずに彼女が手を出したため、お茶がこぼれ、彼女のひざにかかった。幸い、パンツをはいていたから、直接、肌に触れることはなく、すぐに冷やしたので、大事には至らなかった。

私は平謝りに謝った。が、彼女はしばらく怒りがおさまらなかったようだ。数日後に電話をすると、彼女は言った。

アメリカ人の友だちに言われたわよ。なぜ訴えないの。訴えれば勝てるのに、って。

以前、私がメンバーになっている教会のディナーで、原稿に使うための写真を撮ることになった。すでに教会の承諾は得ていたが、ひとりひとりに許可を求めていた。

するとメンバーの男の人が言った。

No problem. You'll hear from my lawyer first thing in the morning.

ノー・プロブレム。明日の朝一番に、僕の弁護士から連絡がいくと思うけど。

それを聞いてみんなが爆笑した。

なんともニューヨーカーらしいジョークではないか。

You'll hear from my lawyer first thing in the morning.

＝明日の朝一番に、僕の弁護士から連絡がいくと思うけど

ルールは私が決めます

スーパーマーケットのレジで順番を待っていると、しばらくしてから私のすぐ後ろに中年の白人女性が並んだ。レジのヒスパニック系女性が、すぐにその女の人に気がつき、言った。

あなたの前でこのレジは閉めますから、ほかのレジへ行ってください。

レジの女性は、私がカゴから出した食料品の山のすぐ後ろに、“CLOSED”と書かれた細長いプラスチック板をさっと置いた。

ちょっと、私はこの人と一緒にずっと待っているのよ、と白人女性が文句を言う。一緒にずっと、ではないが、私の後ろで待っているのは確かだ。

レジの女性は困った様子だったが、何も答えない。

後ろの人は、自分の食料品をさっさとレジの台の上に乗せると、レジはここでクローズいたします、と言いながら、“CLOSED”の板を自分の食料品の後ろにバンと置き直した。

ルールは私が決めます、というわけだ。

アメリカ人の押しの強さに脱帽したのは、一度や二度ではない。

私の友人がメトロポリタン・オペラハウスの前で、当日のオペラ公演のチケットをダフ屋から買った。その時、あるアメリカ人夫婦も、同じダフ屋からチケットを買った。

オペラハウスに入ると、さっきの夫婦が隣にすわっていた。

三枚のチケットは番号が並んでいたのだ。そこに別の三人組がやってきた。

ここ、私たちの席ですよ、と三人組のひとりが、友人とアメリカ人夫婦に向かって強い口調で抗議する。

確かに、友人たちと同じ席のチケットを三枚、持っている。

あとから来た三人組が、オペラハウスの関係者を呼んだ。三人組の話によると、どうやら、そのうちのひとりのバッグが盗まれ、その中にチケットが入っていたらしい。定期会員だったために、チケットを再発行してもらったのだ。つまり、友人とアメリカ人夫婦は、この盗まれたバッグに入っていたチケットを、たった今、ダフ屋から買ったわけだ。

ダフ屋からチケットを買うことは、法律で禁じられている。友人とアメリカ人夫婦はオフィスに連れていかれた。

友人は大変なことになったと、びくびくしていた。名前や滞在先などを聞かれたが、本当のことを言わなかった。

ところが、同じようにダフ屋からチケットを買ったアメリカ人夫婦は、毅然《きぜん》たる態度でオペラハウスの人に言い分を主張した。

私たちのチケットは友人から贈られたものですよ。私たちはいつもここのオペラのチケットを買っているんですからね。いったいどういうことなのか、きちんと調べていただかなくては困ります。

逆境に立たされても、逆に堂々とした態度で相手をやり込めてしまう鮮やかさ。押しの強さもここまでくると、敬意に値する。

My hat's off to you.

まさに、脱帽である。

My hat's off to you. = 脱帽だね

おしゃべりな電話オペレーター

アメリカのフリーダイヤルの電話番号にかけると、1を押せ、4を押せ、2を押せ、5を押せ、と機械に命令され、幾重もの障害を乗り越え、やっと人間にたどり着く。十回以上、番号を押し続けても、機械の声を拝聴するだけで、最後に明るくGood-bye！と切られることもある。

人間と話したい時は、録音メッセージを無視し、0《ゼロ》を押してひたすら待っていればいい場合もある。

Please hold. A representative will be with you shortly.

お待ちください。すぐに係りの者におつなぎいたします。

このメッセージが聞こえたら、いつやってくるかわからないが、人間はいずれ現れる。だが、その間にお湯を沸かしに行き、部屋の拭き掃除をし、時にはトイレに行き、相手が出た頃には何を聞くはずだったか忘れてしまっていたりする。

この時も、二十分は待たされた。さすがに、私は不機嫌になっている。

Hello！ May I have your name？

ハロー！ お名前をいただけますか。

電話の向こうから、神経を逆なでする、妙に明るい若い男の人の声がする。

私は感情を込めずに名前を言う。

こんなにも待たされて、不愉快きわまりない。

Hi, Mitsy. How are you ? How is New York today ? I'm in Arizona.

ハーイ、ミッツィ（私のニックネーム）。お元気ですか。今日のニューヨークはいかがですか。私はアリゾナ州にいます。

とくに大企業の場合、全米のオペレーターにつながる。今日のニューヨークはいかが、などと聞かれても、私は締切直前で一歩も外に出ていないのだ。

寒いんじゃないですか、と私が答える。

You've got a great city over there !

そちらにはすばらしい街がありますね！ 僕は数週間前に、マラソンに参加するためにニューヨークに行ったんですよ。

十一月第一日曜日にある、恒例のニューヨーク・マラソンのことだ。

三一三位ですよ！ あなたはマラソンに出たこと、あるんですか。え。ない？ そりゃあ、もったいない。ぜひ、出てみるべきですよ。僕はニューヨークがとっても気に入ったんです。今度、マラソンに出る時は、あなたを探してみますよ。

機械と人間の違いは、ここにある。なにしろ、私はもうすっかり、機嫌が直っている。

Please hold. ＝お待ちください

容器の中身は

ミッドタウンにある中華料理のファーストフード店に入った。壁に並んだ写真の中から、エビ炒飯を頼んだ。やはりご飯はおいしい。そのうえ、日本食レストランと違って、中華料理は量が多くてうれしい。大食漢の私は満足して炒飯を味わっていた。

しばらくすると、真向かいのテーブルに、若い白人の女の人がすわった。トレーの上には小さな深目の容器がひとつ、置かれている。中身はご飯のようにも見える。

女の人は自分のバッグから何かを取り出すと、ふたを開け、中身を注文した食べ物の上にかけて、おいしそうに黙々と食べ始めた。

いったい、何を食べているのだろうか。

透明の容器に入っているのだが、ここからは中身が何かわからない。

いったい、この人は、何を食べているのだろうか。私はますます、気になり始めた。

その人に気づかれないように観察しているが、わからない。下にあるのは、やはりどうもご飯のようだ。

食べ終わった私は、トレーを返し、店を出る前に彼女のテーブルに向かった。

容器の中身がさっきよりはっきり見えた。

あの、それ、玄米（brown rice）ですか。思い切って、私は声をかけた。

そうよ、で、これはヨーグルト。

その人は玄米の上にかかっている、白いどろっとしたものを指した。

私、一日三食、これを食べてるの、と彼女は自慢気に言うではないか。


Yeah？ That is…

そうなの？　それは……　と言ったが、そのあとが続かない。

…that is different．ようやく、そう、口にした。

strange や weird は失礼になるが、different なら、ちょっと変わっているわねと、彼女の個性を尊重しているようにも聞こえる。

な、なるほど、そういう食べ方は知らなかったわ。こ、今度、私もやってみるわ。

そんな気など、これっぽっちもないくせに、私は言っていた。


ひと口、どうぞ。

そう言われる前に、私は逃げるように店から出ていった。

That is different.＝ちょっと変わっているわね

クローゼットご開帳

何年前になるだろうか、当時のルームメートから夜、オフィスに電話がかかってきた。アパートに泥棒が入ったという。彼女が戻ってくると、部屋中が荒らされていた。

私は頭の中が真っ白になった。

で、私の部屋は何を盗られたの？　完全に気が動転していた。

わからないわ。だって、あなたの部屋、泥棒が入る前から散らかっているんだもの。

Thanks a lot.

よけいなお世話なんですけど。

そう思いながらも、私は吹き出した。

確かに締切前の私の部屋に入ったら、泥棒といえども腰を抜かすだろう。先客があったと思ったかもしれない。

もしかして、下着が床に落ちていなかっただろうか、などと想像すると、顔が赤くなる。泥棒が入ってくると前もってわかっていたら、きちんと部屋を掃除しておいたのに、と妙なことまで考える。

ある時、電話の調子がおかしかったので、電話会社に連絡して、様子を見に来てもらった。例のごとく、締切前の私の部屋は散らかっていた。大急ぎで私は、クローゼットの中にすべてを押し込んだ。

呼び鈴が鳴り、私は修理に来た男の人を、きれいに片づいた部屋に堂々と招き入れた。しばらく電話や電話線をチェックしたあとで、電話線の大本はどこにあるのかと彼が聞いた。

さあ、知らないわ、と私が答える。

もしかしたら、クローゼットの中かもしれないな、と彼がつぶやく。

あわてふためく私を無視して、彼はクローゼットを開けた。

Oh, my God！

思わず彼の口から出た言葉。

一刻も早く部屋から出ていってくれるのを、ひたすら祈るばかりであった。

Thanks a lot.＝よけいなお世話なんですけど

NY警察事情

泥棒の話に戻る。ルームメートの電話を受け、私はあわてて家に駆けつけた。泥棒に荒らされた部屋という感じはするが、確かに朝出かけた時とそれほど変わりはない。でも、ベッドのマットレスまで引きずり下ろされているのは、泥棒の仕業だ。

私は思い出の品をたくさん失った。高校の時、初めてアメリカに行くというので、何かあったらお金に替えなさい、と叔父がくれた大きな金のコイン、ホームステイ先のおばあさんが親から譲り受けたというカメオの指輪、高校の卒業リング……。

すぐに警察に電話を入れると、指紋を取りに行くから、そのままにしておけと言う。散らかった部屋を堂々と見せるのも、おかしな気分だ。これはすべて泥棒の仕業なのだ。私ではない。

しばらくして警官が現れた。ほんの数分で指紋を取り終えると、何を聞くでもなく、さっさと帰っていこうとするではないか。

ちょっと待って。私はあわてて声をかけ、あとは何をすればいいんですか、と聞いた。警官は、盗まれたものを調べて、届け出ればいいだろう、と言い捨て、部屋を出ていった。それも、別に届けなくてもいいよ、といった感じだ。

そりゃ、そうですよ。ここはニューヨーク。空き巣なんて犯罪のうちに入らない。そんなことで警察に手間をかけさせ、申し訳なかったという気になってくる。

大手デパートのメイシーズで財布をなくしたことがあった。カウンターに財布を置き忘れたか、スリにあったか、どちらかだ。現金やクレジットカードのほかに、グリーンカード（永住者カード）が入っていた。再発行するのは手間がかかる。

近所の警察署に盗難届を出しに行った。中に入ると、窓口で黒人の女性が、厚紙の容器に入ったテイクアウトの中華料理を、プラスチックのフォークで食べている。

What do you need？

何の用？　女性は私に気づくと、かったるそうに顔を上げ、口をもぐもぐさせながら、そう言った。

Ah... nothing, really.

いや、別にたいしたことじゃ、ありませんから。

思わず、そう言って帰りたくなるような雰囲気だった。

前に道で引ったくりにあった時には、警察に届け出ると、刑事にデートに誘われた。よほどの理由がないと、ニューヨークの警察はまともに相手にもしてくれない。

Nothing, really.＝別にたいしたことじゃ、ありませんから

走っているのは泥棒だけ

日本人はせかせかしているのか、東京では小走りに街中やオフィスを走っている人をよく見かける。が、私はその比ではなく、マンハッタンを全力疾走している。

アメリカ人の友人にも、

You're always running around.

と言われる。

いつも忙しくドタバタしている、ということだが、私を知っている友人は、文字どおりの意味でそう言っている。

マンハッタンの街中を走っている人は、ほとんどいない。それだけに、血相を変えて走っていると、見知らぬ人が声をかけてくるので、とても恥ずかしい思いをする。

Calm down！ Calm down！ You'll make it. You're gonna be all right.

落ち着いて！ 落ち着いて！ 間に合うよ、大丈夫だよ、とやさしい言葉をかけてくれる人がいるかと思えば、

Run！ Run！ Run！ You're gonna be late！

走れ！　走れ！　走れ！　遅れるぞ！　と思わず、走るスピードを上げずにいられなくなるようなことを言う人もいる。

一度など、ニューヘイブンに住む友人のところへ行くのに、長距離電車に乗り遅れそうになって、グランドセントラル駅に向かって疾走していると、勢いで靴が片方、一メートルほどすっ飛んでいき、大恥をかいた。

年齢とともに落ち着きがでてきてもよさそうなものなのに、と自己嫌悪に陥ってばかりいる。私はさっきもマンハッタンをダッシュしていた。机に向かって原稿を書く時間が長いので、よい運動になる、などと自分を納得させている。

遅れまいと必死に走りながらも、私はいつも、東京のアメリカ大使館でアメリカ人のスタッフに言われたことを思い出し、苦笑する。私がハアハア息を切らして、大使館に走り込んだ時だ。

君ね、アメリカでは気をつけた方がいいよ。そんな勢いで走っているのは、泥棒くらいだからね。

You're always running around. ＝いつも忙しくドタバタしているのね

雪は緑色

例年になく雪の多い冬だった。路上駐車の車はフリッターのようにすっぽり被われ、除雪車が積み上げた雪の山をすくうために、ブルドーザーまで出動した。

白一色の中、すっぽり車を埋め尽くした雪を、黙々とスコップで払いのけている男子高校生たちがいた。

彼らは通りがかった私に、聞いてきた。

Can we shovel the snow for you ?

雪かきをしましょうか。

高校生は雪かきのアルバイトをしていたのだ。

その朝、雪かきの仕事を求めて歩いていると、この車の持ち主が声をかけてきたという。彼の車は雪に埋もれ、見えていたのはバックミラーだけだ。二五ドルを四人で山分けする。

私が高校生と立ち話をしていると、〝雇い主〟が仕事ぶりを見にやって来た。

いい運動になるだろ。

ええ、冬季オリンピックの準備運動ですよ、と黒人の子が答える。

ちゃんとやれば、五ドル上乗せしてやるからな、と〝雇い主〟が言う。

彼らはこの朝まず、別の人の家の周りを雪かきして四十ドル稼いだ。

一時間でやったから悪くないよな、とインド系の子が言う。

高校生たちは汗だくになって、雪かきを続ける。

バックミラーしか見えなかった雪の固まりの中から、みるみるうちに真っ赤な車が現れた。

彼らにとって、まさに、

Snow is green.

雪は緑色。ドル札の裏は緑色だから、お金のことをそう呼ぶ。雪は金なりだ。

私がこの話を、知り合いの六十代のローズマリーにすると、時代は変わったわ、と彼女はため息をつく。

私の息子の時には、ひと冬で二五ドルだったものよ。私が一緒に手伝ってあげたこともあったの。苦労してきれいに雪かきしてから気がついたんだけど、頼まれていたのはその隣の家だったわ。

Snow is green. = 雪は金なり

迷惑な勧誘電話

アメリカでは長距離電話会社が、し烈な顧客の取り合いをしている。電話会社を変更すれば、お礼に七十〜八十ドルの小切手を送ってくる。その小切手を目当てに、毎月のように会社を変更していた知り合いは、ついに電話会社から文句を言われた。邦人紙で全面広告を入れるのは、たいてい太平洋路線の航空会社か、A社などの大手電話会社だ。今ではさらにほかの会社が加わり、番号をよけいに押すだけで電話料がかなり安くなると盛んに宣伝している。

日本語放送では、東洋人が日本語でコマーシャルに登場する。中国語放送でも、同じ東洋人が中国語で現れる。

何年か前だが、アメリカに赴任したばかりの日本人駐在員の妻が登場し、日本語で次のようなことを言っていた。

M社から日本語でwelcome callがきました。案外、アメリカも便利で、なんだかほっとしました。

競争相手の会社がいかに劣っているかを、名指しで指摘する広告も多い。以前、A社のセールス担当の日本人女性が、何度も電話をかけてきた。ライバルたたきに余念がない。

M社は電話が相手につながる前から通話料金を取っている場合がよくあるんですよ。でも砂時計を置いて通話時間を計る人はいませんから、なかなかそれに気づかないんです。

電話の勧誘がいかに迷惑かは、電話会社自身も十分、承知のようだ。A社がこんな宣伝をテレビで流したことがある。

場所は結婚式場。式の最中に電話が鳴った。花嫁が出ると、ライバルのM社からの電話だ。花嫁はあきれた声でこう叫ぶ。

長距離電話会社をA社からM社に替えないかですって？

I'm in the middle of my wedding！

私は今、自分の結婚式の真っ最中なんですよ！

I'm in the middle of my wedding！＝今、自分の結婚式の真っ最中なんですよ！

ファーストフード店長vs高校生

ファーストフード店に白人の高校生が八人ほど入ってきて、ふたつのテーブルにすわった。何も頼まずに大声でしゃべり始めた。

そのうちに、テーブル越しにふざけて取っ組み合いが始まり、テーブルを動かしたり、椅子をひっくり返したりと、大騒ぎしていた。

インド系の店長がやってきた。

君たち、何も頼まないのにここにいてもらっては、困るんだよ。

高校生たちは静かになったが、店から出ていこうとしない。

女の子のひとりが、隣のテーブルからほかの客が飲み終えたドリンクの紙コップを持ってきて、
コーラを飲んでいるわ、と言った。

店長は彼女に何も言わなかった。

椅子をひっくり返したり、テーブルを汚したりされたら、店員が片づけなければならなくて、大変なんだよ。

あの子がちゃんと食べ物を頼んだわ、と隣のテーブルでハンバーガーを食べている男の子を指差す。彼らの仲間ではない。

高校生たちはテーブルにすわり込んだまま、出ていく様子はまったくない。

ここにいる権利が俺たちにはないのか、とでも言い出し、面倒なことになりそうな気がした。

すると、店長が言った。

君たちがここでアルバイトをしたいっていうのなら、仕事をあげるよ。

え、本気？　と、彼らの目の色が変わる。

ああ、本気だよ。

あなたって、いい人ですねえ、と男の子が言う。

本当、いい人だなあ、と別の男の子がしみじみとつぶやく。

でも、十六歳にならないと働けないよ。

十六歳以上ですよ、僕らはみんな。

とにかく、学校から仕事をしてもいいという許可書をもらってきなさい。そうしたら、検討しよう。

オーケー、今度、もらってきますよ。

忘れないでくださいよ。

もちろんだよ。いつでも来なさい。

店長は終始、穏やかだった。

彼らは嬉々として、ぞろぞろと店を出ていった。

店長は私と目が合い、微笑んだ。

You did a good job.

私の隣にすわっていた女の人が言った。

さすがね、うまく彼らを追い出したわね、ということだ。

まさに、good job だ。

そして、こんなにすてきな店長の下で働けることになれば、高校生たちは great job を得ることになりそうだ。

You did a good job. = 大したものね

ニンテンドーと女の子

ハーレムの学校に取材に行き、帰りの地下鉄に乗った。ふと見ると、女の子が私の前に立っている。さっき、学校でいろいろなことを聞いてきた子だ。一緒にいた友だちは向こうの車両に移っていったのに、その子は黙って私の隣にすわった。

友だちが戻ってきて、来ないの？　と声をかけたが、何も言わずにすわっている。

ハーレムの中心、一二五丁目で降りるという。

おうちに帰ったら、お母さんがいるの？　と私が聞いた。

ううん。

お仕事なの？　何時に帰ってくるの？

十時頃。

それまでひとりなの？

うん。

お母さんが帰ってくるまで、何してるの？

ニンテンドー。

気がつくと、地下鉄は一二五丁目の駅に着いていた。

ここで降りるんじゃないの？

私が聞くと、その子はあわててホームに飛び降りた。

Here！

ほれっ。

私の前にすわっている黒人の中年女性がそう叫ぶと、床に落ちていた赤い毛糸の帽子を拾い上げ、思い切りホームに投げた。

女の子の足元に落ちた。

地下鉄がゆっくり動き出す。

女の子は帽子を拾って、同じ方向に歩き出した。

Here！

たったひと言なのに、それまでずっと三人で会話を交わしていたような気持ちになって、その女の人と私は微笑み合った。

Here！＝ほれっ

一六二本のマニキュアボトル

アメリカ人の家は、モデルルームのようにきちんと片づいていることが多い。必要でないものは目につかない場所に整理され、日本の家に比べ、物が少ないように感じる。ところが、ゲイルの部屋には物があふれている。

恐ろしい長さの爪に、恐ろしい色のマニキュアをいつもていねいに塗っているだけあって、バスルームの棚などにマニキュアのボトルがずらりと一六二本、赤や白はもちろん、茶、緑、紫、黒と並べられている。

自分の撮った写真を納めた大小さまざまな額が、入り口の約四畳半のスペースに十四枚、キッチンに二六枚、リビングルームに二六枚、ベッドルームに十五枚、トイレの前の廊下に五枚ある。

メトロポリタン美術館だって、代わる代わる所蔵品を展示するのよ。あるもの全部一度に見せなくたっていいものを、と友人のドナはあきれる。

キッチンには、ポップコーンやキャンディの入っていたかわいいキャラクターの描かれた缶が三十個、縫いぐるみが三二個、料理をしない彼女のガスレンジの上は物置きで、陶器の牛や水兵さんの塩・コショウ入れが三七個も並ぶ。リビングルームのソファの背には、縫いぐるみが十七個、すわっている。これをすべて数えた私は、かなりの暇人だ。何かを取ろうとすれば、何かが落ちる。

このアパートときたら……、と友人のジョアンもため息をつく。

クローゼットには値札のついたままのスーツやブラウスがずらりと並んでいる。そのうちの半分は、買ったことすら忘れられている。

冷凍庫には、高さ約三十センチのアイスクリームの箱が三、四個、アイライナーが二十本、カメラのフィルムが二十個。スプーンが数本、入っている。冷えたスプーンを朝、目の下に当てると、隈《くま》が取れると誰かに聞いたらしい。

冷蔵庫には直径二十センチ、高さ四十センチのガラス容器に、半分ほど黒い液体が少なくとも半年前から入ったままだ。

これは何だ、と尋ねると、アイスコーヒーだという。コーヒーは腐らないとゲイルは信じている。数年前に一緒にビーチに行った時、自分で作ったと言って注いでくれたアイスコーヒーは、これだったのか。

一緒に住んでみると、いろいろな発見があるものだ。

物が多すぎて、本人も何がどこにあるかわからない。この間はカメラが見当たらず、探すより早い、ともう一台、同じのを買ってきた。

誰かを雇って、このアパートを整理してもらわないと、とゲイルが言う。

泥棒でも雇った方が早いわよ、と私が言う。
Oh, please. Be my guest.
どうぞ、どうぞ、持っていってちょうだい。
今日もゲイルは、ビートルズの白黒写真の入った額を手に、仕事から戻ってきた。
これを飾るスペースを探さないと、と目を輝かせている。

Be my guest. = どうぞ、どうぞ

ドキドキのヘアカット体験

知り合いはいつも、あるヘアサロンで髪を切る。なかなかすてきなヘアスタイルだ。マンハッタンに十店舗、世界中に千店舗ある。カットは三十ドル、カットにパーマやカラーリングは八十ドルなので、もともと高くないが、彼女が払うのはわずか三ドルだ。というのも、彼女はそこのトレーニング・センターへ行くからだ。美容師の免許は持っているものの、そのサロンの技術をマスターしたい、という人たちの練習台になるのである。おもしろそうなので、私も行ってみることにした。一週間後に予約が取れた。ミッドタウンのビジネス街にある。

受付で予約の旨を告げると、私どもの店へようこそ、とていねいに挨拶される。そこでまず、税込みで三ドル十二セントを払い、十分ほど待たされる。見習いが四、五人、何となく慣れない手つきで、客の髪を切っている。スーツを着たスーパーバイザーの男の人が店内を歩き回り、カットの仕方をチェックしている。店内はスタッフも客もみんな、白人だ。客は中年の男女が数人、若い女性がひとりいた。

四十代後半だろうか、女の人がカットを終えて、満足そうに鏡を頭の後ろに当てて仕上がり具合をチェックしている。ショートの段カットで、きれいに後ろに流れている。

その女の人が私の方に向かって歩いてきた。

とてもすてきですよ、と私が声をかけた。

初めてここに来てみたんだけど、結構、いいわよね、気に入ったわ。ほめてくれて、ありがとう。私は最初、このヘアスタイルにしようかと思ったのよ。ほら、カタログに載っている、これ。

彼女はそばに置いてあったカタログを開いて見せた。

これから、就職の面接を受けに行くのよ。このヘアスタイルなら、仕事をもらえるかもしれないわね。

彼女はしばらく鏡の前に立ち、髪に手を当てたり、後ろ向きになったりして、じっくり自分の姿を眺めていた。

Thank you. I'll be back.

どうも。また来るわ。

しばらくして、そう言いながらサロンを出ていった。あの人が常連になることは間違いない。

I'll be back. ＝また来るわ

カタログで選ぶヘアスタイル

以前、アメリカのヘアサロンで数々のショックな体験をした私は、今回もこの安さにやや不安を覚えた。もちろん、高級サロンに行けば、そんな心配はない。だが私は、何が起こるかわからない、未体験ゾーンが好きなのだ。

私の担当は、さっきの女性と同じ人だった。ロシア人で英語は片言だ。慣れない手つきだったので、いつからここにいるのか、何気なく聞いてみた。

いつって、先週始めたばかりよ。それも今日がまだ三、四回目よ、と彼女が言う。

Oh, OK……

あら、そう、と私は平静を装う。

で、それまでは何をしていたの？

それまではロシアよ。

Oh, OK…… じゃあ、アメリカに来てから、まだ一週間なのね。

違うわよ。アメリカに来たのは六年前。

Oh, OK…… ということは、六年間はほかのヘアサロンか何かで？

違うわよ。子どもができたから、ずっと子どもの世話で家にいたわ。女は子どもができたら、何もできないのよ。

Oh, OK……　ということは、この人はまさか、ハサミを手にして、まだ三、四回目？　さすがの私も、それは聞けない。

私は、Oh, OK……　しか言葉にならない。

先ほどの女性の笑顔を思い出そうとしていた。彼女の髪はきれいに仕上がっていたではないか。このロシア人がカットしたのだ。

髪を薄くすいてレイヤーをつけて、と説明する私を無視し、この中から好きなヘアスタイルを選んで、とカタログを手渡す。レストランのメニューじゃあるまいし、と思いながらも、その中からいくつかの組み合わせを彼女に見せる。注文が複雑すぎるのか、困惑を隠し切れない様子で、彼女はへっぴり腰で切り始めた。

興味本位でここへ来たことを深く後悔し始めた頃、スーパーバイザーが現れる。

そんなにかがんで切るんじゃない。考え考えカットしていないで、まず始めにどうしたいか頭に入れろ。お客はどういうスタイルにしたいか君に伝えただろ。そうしたら、あとは全体を頭に入れて、一、二、三、チャッ、チャッ、チャッ、とカットするんだ。

私の訴えるような眼差しを察したのか、スーパーバイザーは彼女からハサミを奪い取り、そのとたんにサロン中の見習いたちが私の周りにずらりと駆けつけ、私がこれまで見ていたそれとはまったく違う手つきで、まさに全体のバランスを考えながら、ばっさり髪の束をつかんでは素早くカットする。私たちは息をのんで見守った。

Oh, OK… からWow！へと、私の反応は突然、景気がよくなった。

Oh, OK…＝あら、そう

スニーカーのなる木

以前、本に載せる写真を撮るために、夫と一緒にハーレムを歩き回っていた。ハーレムはアポロ・シアターなどに行くために歩くことはあるが、ぶらぶらしたことはほとんどなかった。

昼間だったが、商店街をはずれると、公園で子どもたちが遊んでいる程度で、人気はあまりなかった。

ふと見上げると、〝スニーカーのなる木〟が立っていた。大きく張り出した裸の枝に、スニーカーがたくさんぶら下がっているのだ。こんな光景は今まで見たことがない。

私たちは思わず立ち止まり、その木の写真を何枚も撮った。道をはさんで向かい側にはレンガ造りのアパートが建っていたので、それも一緒に撮っていた。

二十分ほどたっただろうか。もう一度、ゆっくり木を眺め、立ち去ろうとすると、前のアパートから体格のいい黒人の男性が現れた。

彼はこちらに向かって、歩いてくる。視線は明らかに、私たちに向けられている。夫と私は顔を見合わせた。

私はカメラをしっかりつかみ、逃げる体勢になったが、夫が私を呼び止める。

男は私たちの前で、立ち止まった。

この建物の写真を撮っていたようだな、と彼が言った。

あの木の写真を撮りたかったんです。でも、建物も入れたいなと思って、何枚か一緒に撮りましたけど、と私は意外に冷静に答えた。

何に使うんだ?

本を出版するので。

カメラを向けられて、あの建物の中で子どもたちが怯《おび》えている。

怯えているのは私たちだ。この人はいったい何が言いたいのだろうか。

その写真が警察の手にでも渡ったらと、怯えているんだ。わかるだろ、言いたいことは。この建物の写真は使わないでくれ。いいな?

おそらく彼は、ドラッグ・ディーラーか何かなのだろう。

でも、木だけじゃ生活感がないし。やっぱり使いたいわ。

もう、すっかりいつもの調子を取り戻し、私は言い返す。

おい、おい。ここのところは、と理性ある夫が私を制する。

握手しようじゃないか。

黒人の男が手を差し出した。

夫がその手を握った。私もその手を握った。

It's a deal？　と彼が言った。

手を打つんだな？　ということだ。

私たちはうなずいた。

ありがとよ。

そう言って、彼は去っていった。

もちろん本には、〝スニーカーのなる木〟の写真が載っているだけだ。そこには彼の住まいも、木の下で怯える私の影もない。

It's a deal？＝手を打つんだな？

おせっかいな市長

外に出ると、必ずといっていいほど、同じアパートに住むマークを見かける。かなり背が高いので、どこにいても目立つ。五十代くらいだが、ラフな格好で朝からぶらぶらしているので、仕事はしていないのだろう。これだけ何もせずに外にいるのだから、暇に違いないが、いつもせわしなく動き回っている。

ハーイ、ミッツィ。昨日、なぜか、僕の部屋の側のロビーのテーブルに、君宛の封筒が置きっぱなしになっていたよ。部屋番号が書かれていなかったから、大きく鉛筆で書いて君のところのロビーのテーブルに置いといたよ。受け取ったかい。

などと、とにかく親切にいろいろと声をかけてくる。

ベッドルームがふたつある所を探しているんだけど、と何気なく話した時には、外で会えば私に声をかけ、ここのアパートの空室状況を教えてくれた。

3H（三階のH号室）が空いたよ。でもな、あそこはキッチンを改造して、新しい冷蔵庫を入れるから、家賃がかなり上がると思うよ。高い、高い。やめておいた方がいい。

彼はこのアパートのすべての不動産事情を把握している。今すぐに引っ越そうと思っていたわけでもなかった私は、会うたびに彼の説明を聞くのが面倒になってきた。

別に、このアパートにこだわっているわけじゃないから、と次に見かけた時に、彼に話した。なんだ、そうか、とマークが言う。

しばらくしてある日、外から戻ると、部屋のドアの下の隙間から、不動産のパンフレットが何冊も入れられていた。スーパーマーケットなどに置かれている無料のものだ。

次の日、マークに会った。ドアの下に入れといたやつ、見たか。いいの、あったか。

やっぱり彼だった。パンフレットにはちらっと目を通しただけだ。

そうか。まあゆっくり探せばいい。また、来週、入れておいてやるからな。

それからというもの、毎週、不動産のパンフレットなどがドアの下からはさみ込まれていた。軽く目を通し、たまってしまったので、マークに見つからないように、新聞紙と一緒にそっと捨てた。

He's the mayor of the building.

彼はアパートの〝市長〟なのよ。

同じアパートに住む友人たちが噂する。住人のあらゆる事情を、プライベートなことまですべて把握し、世話を焼くからだ。どんな市長も、マークの足元にも及ばない。

He's the mayor of the building. ＝彼はアパートの〝市長〟なのよ

コーラを飲む資格

私がニューヨークの大学院に入学した当時、原則として外国人留学生は奨学金を受けられないことになっていた。それを承知で、〝奨学金つき〟で入学願書を提出した。すると、無事、その願いがかない、合格通知が送られてきた。

所属していた創作学科では、ある有名な小説家が教えていた。彼のクラスは人気があり、受講希望者が殺到するので、一年目の学生は取れないことになっていた。親しくなった中年女性の学科秘書に、取れなくて残念だわ、ともらしたことがあった。

あなたは彼の授業を取るべきよ。私からも話してみるわ。せっかく、日本からはるばる来たんだから。それと、今、授業を取っている先生に、推薦状を書いてもらいなさい。

そう彼女が勧めた。言われたとおりにすると、例外で彼の授業が取れることになった。

アメリカでは、行動を起こしてみると希望がかなう、という体験を何度もした。

Ask and you'll receive.

求めよ、さらば与えられん。

そのためには、行動を起こさなければならない。

If you want it, go for it.
ほしければ、手に入れろ、という社会なのだ。

最近、マンハッタンで始まったばかりの、グローサリー（食品雑貨）のオンライン・ショッピングをゲイルと初めて試みた。

「自分で値段を決めてください」がうたい文句の「プライスライン」のサイトだ。グローサリーのリストが現れ、ほしい物を何割引きで買いたいかをまず選ぶ。それからブランドをふたつ以上、指定するように言われる。その中から向こうが、希望の値段で手に入るブランドを探し、それにこちらが同意すれば売買が成立する。

ゲイルも私も「コーラ」を買いたい。割引は最高の五十パーセントを選ぶ。ふたりとも「コカ・コーラ（コーク）」と「ペプシ」を選んだ。

オレンジジュースやツナ缶なども同じように選び、クリックすると、おめでとうございます。希望の額でご購入いただけます、と画面に現れる。三五五ミリリットル入りが十二缶で一ドル四七セント。ひと缶わずか十二セントだ。

その場でクレジットカードで支払いを済ませ、買った物のリストを印刷する。そのリストを持って、この会社が提携している複数のスーパーマーケットのうち、最寄りの店に行けば、商品を受け取れる仕組みになっている。

無事、成功、と私は大喜びだ。

ところが、ゲイルは激怒している。

何よ、ペプシになってるわ。私はコークしか飲まないのよ。

だって、そういうシステムなんだから仕方ないじゃない。いやだったら買わないか、どうしてもコークがよければ、もっと高い値段を選ぶしかないわよ。私もどちらかと言えば、コークの方が好きだけど。

納得しないゲイルは、さっそく、フリーダイヤルで会社に文句の電話をかける。

コークじゃなきゃ、だめ！　と彼女は一歩も譲らない。

それでは、初めてということなので、コークにお取り替えいたします。

彼女の主張は認められたのだ。それでも彼女は、納得がいかないようだ。

初めてだからってことは、次からは替えてくれないってこと？

かくして、私たちの冷蔵庫には、コーク十二缶とペプシ十二缶が並んでいる。

コークを手に取りたくなっても、もちろん、主張しなかった私に、ゲイルが勝ち得たコークを飲む資格はない。

If you want it, go for it. ＝ほしければ、手に入れろ

第三章　我が隣人たち

タクシードライバー失格

タクシードライバーって、ジャーナリストくらいおもしろい経験をするんでしょうね。ニューヨーク郊外の学校に取材に行くために、タクシーに乗った時、運転手にそう尋ねた。

ああ。そりゃ、そうさ。俺もジャーナリストになりたかったんだ。そういえば、こんなやつがいたよ。

そう言って、彼は話し始めた。

ふたりはイラン人の絨毯《じゆうたん》売りの業者なんだ。ニューヨーク郊外の高級住宅地で絨毯を買いたいというやつがいたんで、そこに出向いていった。絨毯は二枚売れ、現金でそれぞれ三万五千ドルと五万ドルをもらった。

そんな大金を持ってタクシーに乗ったら、運転手に丸ごと取られてしまうかもしれないと思ったらしく、帰りはメトロノースの電車に乗った。ところが、ハーレムのど真ん中で電車が故障して、乗客は全員降ろされた。

真夜中のハーレムだぜ。ふたりはどきどき、はらはらしながら、そこで何時間も待たされた挙げ句、うちに電話してきて、無事、家に戻っていったというわけさ。もともとうちの常連の客なんだから、さっさと電話一本すりゃあ、済んだものを、な。

こんなこともあったよ。テレビにも出ている○○（プライバシー保護のために俳優の名前は伏せる）を乗せたんだ。あるところに連れていけ、と言う。そこはドラッグの売買で知られてる場所なんだぜ。

そこに行くと買えるの？　と私が聞いた。

ああ、そうさ。もちろん、俺は行かないぜ。ヤク、買いに行くのか、ってそいつに聞いたんだ。そしたら、そうだよ、何だ、お前。警察かよ、って聞きやがった。

で、そこに連れていったの？

ああ、一応、客だからな。行けと言われたら、行かないわけにはいかないさ。

Do you know where we are？

ここどこか、知ってるか。

話に夢中になり、運転手はいつの間にか、道に迷ってしまった。

彼はどうやら、ジャーナリストの方が向いているようだ。

Do you know where we are？＝ここどこか、知ってるか

じゃあ、さいなら

道に迷ったものの、この運転手は平然としている。

こういう時には、ガソリンスタンドで聞くのが一番さ。

そう言うと、彼はガソリンスタンドで車をとめ、中に入っていった。

しばらくして、悠々《ゆうゆう》と彼が戻ってくる。

これで、ばっちりさ。

言われたとおりに行ってみたが、また道がわからなくなったようだ。

運よくパトカーが来たので、Excuse me, sir. と運転手が声をかけた。

警官には、妙に言葉がていねいだ。サー、などと呼びかけている。

警官に言われたとおりに走ったが、また迷った。

赤信号の時、ちょうど前に止まっていたのが地元のタクシーだった。

その運転手に聞いても、まだ迷っている。

今度は、車に乗っている老夫婦に尋ねた。おばあさんが行き方を知っているらしく、説明してくれるのだが、まどろっこしくてわかりにくい。

お礼を言って、車を走らせながら、運転手がぶつぶつぶやき始めた。

右に曲がって左に曲がって今度は右に曲がってまた右に曲がって最初に学校が見えるけどあんたそれと間違えちゃいけないよ、それじゃなくてもう少し行ってその次に見えるのがそれなんだよ。なんなんだい、あの説明は。

ありゃ、あのばあさんにしかわからない行き方だ。道に迷った時には、ガソリンスタンドで聞いてから、パトロールの警官に聞き、それからタクシーの運転手に聞くことさ。でも間違っても、ばあさんには聞いちゃいけねえよ。


しばらく、運転手は黙ったまま、車を走らせ続けた。

おいおい、でも、あのばあさんの言ったこと、あってるよ。

ようやく、目的地に着いた。お礼を言い、車を降りた。

じゃあ、よい一日を。取材がうまく行くように。こっから無事、帰れるように祈ってるよ。という俺こそ、無事、戻れるように、祈っててくれよな。

Bye now.

じゃあ、さいなら。

アメリカ人はよく、Bye. の代わりに、こう言う。

それにはどこか、名残惜《なごりお》しさのような温かさを感じる。
仕事を楽しんでいる人だった。
それにしても、早めに家を出ていなかったら、どうなっていたことか。

Bye now. ＝じゃあ、さいなら

イクラの寿司二十貫

二十年ほど前にウィスコンシン州の高校に留学した時、日本人が生魚を食べる話をすると、アメリカ人のクラスメートたちは目を丸くして驚いた。

Weird！ Gross！ と彼らは気味悪がった。

生きている魚の皮をむしり取り、血のしたたる生肉にかぶりつく様子でも想像したのだろう。当時の私のつたない英語を駆使して、日本人は野蛮人ではないことを必死に説明した。

ずいぶん前のことだが、あの小さな田舎町では、きっと今も反応は変わらないと思う。町の中心にも、ハンバーガーやステーキ、エビのフライなどを出すレストランがある程度だ。今ではたいていの町にあるといわれる中華料理の店すらない。

ウィスコンシン州の親友のマリー・ジョーが、十年ほど前に初めて日本に来た。何を食べても、今ひとつおいしそうではなかった。ツナサンドでさえ、日本のものは生臭いといやがった。マクドナルドを見つけると、嬉々として飛び込んでいった。

ニューヨークでは、これまで日本人客しかいなかったようなレストランでも、アメリカ人を見かける。友人のノーマンは、大手日本食スーパーに行っては、そこでラーメンやカツ丼を食べるのが大好きだ。そういえば、初めて行った時、イチゴやオレンジの匂いのする子ども用歯磨き粉を見つけて感動し、買って帰った。

ジョージアは仕事の帰りに時々、ひとりで会社の近くの寿司店に立ち寄る。カウンターにすわって、日本酒を片手に寿司を三、四個食べてから、家に帰る。

I'm really big on sushi.

スシ、大好きなの、と彼女は言う。

食べ放題の店に行った時、白人の母親と息子がカウンターにすわっていた。ふたりの前には次から次へと、イクラばかりが現れる。それ以外には何も食べない。

THEY MUST BE REALLY BIG ON IKURA.

と大文字で書かずにはいられないほど、ひっきりなしにイクラを食べ続けている。やがてその訳がわかった。親子はロシア人だったのだ。ここではキャビアにはありつけないとしても、イクラが大好きなはずである。

前なんか、ひとりでイクラばかり四十個（二十貫）も食べたロシア人がいましたよ。

寿司店の板前が嘆いていた。

I'm really big on sushi.＝スシ、大好きなの

おせんべいの寿命

アメリカ人の友人と私たち夫婦でのみの市に出かけた。おいしそうなパンを売っていたので、夫が買った。友人にもひとつ、分けてあげた。

友人はひと口、食べると、

おいしくないわ、と言って、そばにいたハトに向かって投げた。

夫と私は思わず、顔を見合わせた。

同じような話はほかにもある。

あなたの息子さんの誕生日をクラスで祝うので、クラスメートのためにお菓子を持ってきてください、と日本人の母親が教師に言われた。

得意のケーキを焼いて、持っていった。クラスの男の子がひと口食べると、その日本人の母親の目の前で、ゴミ箱に捨てた。

ウィスコンシン州の高校に留学した時、一枚ずつビニール袋に入ったおせんべいを、友人のマリー・ジョーにあげた。

それまで日本の食べ物などと縁のなかった彼女は、ひと口食べると言った。

Hmm, this is very interesting.

まあ、とても変わった、おもしろい味ね。

たぶん、彼女の口には合わなかったのだろう。それを、interesting と表現した。おせんべいをおいしいと思わなかったことは、奇妙な顔をしたことからも、想像できる。だが、彼女はそれを捨てはしなかった。おせんべいを袋の中に戻し、壁のボードに画びょうで留めた。私が十か月後に日本に戻る時も、そこにそうして留められていた。

とかく自分の好き嫌いや感情を、素直に表現する人がアメリカ人には多い。だが、マリー・ジョーの言葉と行為は、私に対する思いやりだった。

This is very interesting. ＝とてもおもしろい味ね

地下鉄での頼まれごと

夫が地下鉄でThe Road Less Traveledというベストセラーの本を読んでいた。隣にすわっている女の人が、こちらをちらちら見ている。

しばらくして、その人が話しかけてきた。

それ、大学か何かの宿題なの？　それとも、趣味で読んでるの？

趣味で読んでいると、夫が答える。

その本、私も読んだわ。すっごくいいわよね。そう思わない？　彼のほかの本も読んだけれど、やっぱりよかったわよ。

女の人はバッグから紙とペンを取り出し、ほかにも読んでおくべき本のタイトルを書き連ね、夫に手渡した。

今度、私を見かけたら、本の感想を聞かせて。

その人はそう言って、地下鉄を降りていった。

数日後、同じように地下鉄で本を読んでいると、夫はまた隣の女の人に話しかけられた。

ねえ、あなたはどの駅で降りるの？

降りる駅の名前を告げると、その人はにっこり笑って言った。

私はルーズベルト・アベニューで降りるの。あなたの駅のひとつ手前。

Do me a favor.

お願いがあるの。

女の人は続ける。

昨日の夜、熟睡できなかったから、眠くてたまらないの。ちょっと寝たいんだけど、私の駅に着いたら、起こしてくれるかしら？

戸惑いながらも、いいですよ、と夫が返事をした。

その人は安心したように目を閉じ、頭を垂れ、またたく間に眠り込んだ。

乗り過ごさせては大変と、夫は気が気ではない。

地下鉄が駅に着くたびに駅名を確認し、目的地に着く頃、熟睡していた女の人に声をかけて、起こした。

一瞬、起こされて迷惑そうな顔をしていたが、すぐに夫に頼んだことを思い出したようだ。お礼を言うと、さっさと地下鉄を降りていった。

まったく、地下鉄じゃ、ゆっくり本も読んでいられないよね、と夫は苦笑する。

Do me a favor. ＝お願いがあるの

夫婦の会話

ピーターとアンという知り合いの家に夕食に呼ばれた。アンのはとこ夫婦も招かれていた。このはとこの存在を知ったのはわずか数年前で、まだ数えるほどしか会っていないという。私は初めて彼らに会った。はとこのマイケルは刑事事件専門の弁護士、妻のサンドラはアーチストだ。


サンドラが話している最中にマイケルが口をはさむと、
すみませんが、まだ私が話しているんですけど、と彼女が鋭い口調で抗議する。

それは、それは、どうも失礼いたしました、とマイケルが嫌味っぽく答える。

アンは雰囲気を和らげようと、にこやかに、ふたりの馴《な》れ初《そ》めについて聞いた。

セントラルパークを歩いていて、偶然、出会ったの。彼がデートに誘ってきたのよ、と妻。

つき合っていた彼女と別れて、夜を一緒に過ごす女がいなかったから、君に声をかけたまでさ。

アンは話を変えようとし、あなたの両親とマイケルはうまくいっているんでしょう?

と妻に聞く。

そう、とっても。私が、もうこんな男と別れてやるってついに心に決めて、マイケルに言ったら、この人の反応はこうよ。僕はもう、君の両親に会えなくなるのか。残念だな。

えっと、そうそう、今、住んでいるのは、もともとサンドラの両親の家だったのよね？　とアンはさらに話を変えようとする。

ああ。家を差し上げますから、娘をもらってください、って父親に泣きつかれたからさ、とマイケル。

あ……あの。か……彼女の両親、ほかにも家があったわよね、とアン。

そうだよ。あと五年、我慢して彼女と結婚していれば、その家もくれるって言われたから、もうちょっとの辛抱で僕のものになるさ、とマイケル。

はとこ夫婦が帰ったあとで、アンは私にひたすら詫《わ》びる。

ごめんなさいね。まったく恥さらしもいいとこだわ。あの人たちはしばらく、家に呼ばないわ。

That's for sure.

それだけは間違いないわ。

アメリカ人のホストは、客が気分よく食事や会話をするように気をつかう。それだけに、アンはこりごりしたようだ。

いろいろな夫婦がいるものだと、私はマイケルたちのやり取りを、楽しんで聞いていた。

アンの夫、ピーターは言う。

ああいう会話のやり取りは、ふたりにしてみれば、一緒にダンスを踊っているようなものなのさ。

別れると言い続けて、あの夫婦はもう二十年も一緒だ。

That's for sure.

That's for sure.＝それだけは間違いないわ

本屋もNY流

マンハッタンでお気に入りの場所のひとつは、Barnes & Nobleだ。日本でも雑誌などで紹介されているが、この大手書店にはおしゃれなソファやテーブル、椅子が店内のあちらこちらに置かれ、客がゆったりくつろいで本を〝すわり読み〟できるようになっている。

マンハッタン内に店舗がいくつもあり、店内にカフェのあるところでは、焼き立てのマフィンやコーヒーを楽しみながら、売り物の本や雑誌に目を通せるのだ。店によっては毎日、真夜中まで開いている。

いつだったか、内容によっては買いたいと思っている本があったが、店内に在庫がなかった。すると店員が言った。

取り寄せたからといって、ほしくなければ買う必要はありません。その時は、本をカゴから放り投げ、なんでこんなもの、売りつけるのよ、とおしゃっていただければ、結構です。

いつ購入したものでも、理由も聞かずに払い戻しする。あまりにも寛容である。それで商売になるのか、私は店長に思わず聞いたことがある。

お客様に足を運んでもらうことが大事なんです。来てもらえさえすれば、買うならうちで、ということになりますから。確かに、お世話になっているのだから、ここで買わなければ、という忠誠心がわいてくるものだ。

だが、その寛容さにつけ込む客がいるのも事実だ。CDつきの本はCDだけ引きちぎられていたり、雑誌もページが破られていたりする。私は何度か、店員にその旨を伝えた。すると店員はていねいにお礼を言った。

この書店を大いに利用している私にとって、最近、やや都合の悪いことが起きた。ローズマリーの長男のピーターが、近所の店舗で働き始めたのだ。それ以来、ローズマリーは店員の本音を代弁するようになり、〝一味〟と化した。

People camp out at the bookstore.

みんな、あの書店を仮住まいにしているのよ。

ピーターによれば、このアパートのマークなんて、一日中、あそこに入りびたっているらしいわよ。

などと、彼女は私に会うたびに、店員に代わって客の文句を言っている。

マークはほかでもない、わがアパートの〝市長〟である。

ローズマリーの言うとおり、〝市長〟はここを執務室にしているのだ。

いつも知り合いとテーブルを占領し、雑誌や本を高く積み上げ、時を忘れ、熱心に読みふけっている。

さすがにわが〝市長〟は、リサーチに余念がない。

そうね、彼にはよく会うわ、とうっかり言ってしまった私。

いけない、いけない。私も camp out していることがばれてしまう。

They camp out at the bookstore. ＝みんな、あの書店を仮住まいにしているのよ

本の探偵

絶版になった本を探していた。大手書店の店員が、絶版書ばかりを扱っているところを教えてくれた。その名もBook Detective（本の探偵）だ。

数日以内に日本に行かなくてはならないので、時間がなかった。

電話をかけると、男の人が出た。声から推測して、六十歳くらいだろうか。

手に入れるのに、どのくらい時間がかかるか、尋ねた。

うちに本が置いてあるわけじゃないんだ。どこにあるかはわからない。それを探し出すわけさ。だから、いつとは言えないね。

一週間以内には国外に行かなければならないんですけれど、と私は言った。

かなりあせっていた。

すると、その人は答えた。

アメリカはひどい国だからな。

I don't blame you.　I wish I could do that.

この国を出ていくって？　君をとがめはしないよ。そりゃ、ごもっともさ。私もそうしたいくらいだよ、と彼はジョークを言ったのだ。

で、ここを出て、いったいどこに行くんだい？　と彼が聞く。

日本よ、と答えると、彼の声が真剣になった。

じつは私は、日本語を勉強したいんだよ。何かいい方法はないかい？　日本語は中国語と違って、そんなに難しくないだろう。

何しろ中国語はひとつじゃないんだから。北京語に、広東語に、ワンタンに、春巻きに……。

結局、三十分ほど雑談を楽しみ、電話を切った。探していた本は頼まなかった。

縁があれば、いつかその本にも巡り会うだろう。

こういう人と出会うと、そんな気持ちになってくる。

I don't blame you. ＝君をとがめたりしないよ

引き出しに眠る似顔絵

ある日、夫がプラットホームのベンチにすわって地下鉄を待っていると、視線を感じた。ひとつ席を空けて隣にすわった黒人の男の人が、夫をちらちら見ていた。忙しそうに手を動かしているようだった。

夫は気になったが、視線を合わさないようにしていた。

一分ほどたっただろうか。その男の人はにこにこしながら、夫に声をかけた。

What do you think?

どうです?

よく描けているでしょう、と言わんばかりだ。

誇らし気に彼が見せたのは、夫の似顔絵だったのだ。模造紙に青いクレヨンで描かれたもので、彼のサインまで入っている。

似ていると言えば似ていなくもない。が、誰にでも似ている気もする。日本の少女漫画に出てきそうなお兄さんといった感じだ。

それにしても、よくこれだけ手早く仕上げたものだ。一、二分ほどではなかったか。

これ、僕なの？　なんかずいぶんいい男に見えるけど、と夫が尋ねる。

まんざらでもなさそうだ。

そうですよ、そっくりでしょう。

彼が何を望んでいるかは、よくわかっている。

夫はポケットから取り出した小銭を何枚か、彼に渡した。手間がかかっているのだから、もっとあげてもよかったかもしれない。が、もともとこちらから頼んだわけでもない。

どうもありがとう、いい一日を。

彼は意外にうれしそうに去っていった。

夫は実物以上の出来の似顔絵を、しげしげと眺めていた。

その男の人は、向こうのベンチへ早々と移り、次のモデルを見つけたようだ。

ところが、モデル候補は、こちらの一部始終を見ていたのか、しきりに手を振って断わっている。彼はあきらめて、さらに向こうへ足早に歩いていった。

似顔絵は捨てることができず、今も机の引き出しの奥に眠っている。

What do you think ? ＝どうです？

ノートパソコンは人を呼ぶ

ゲイルのところで仕事に集中できないと、ノートパソコンを持って外に出る。これで仕事がはかどると思い、キーをたたいていると、決まって誰かが声をかけてくる。おしゃれなパソコンね、バッテリーは何時間持つの、それ日本語なの、といった具合だ。マンハッタンでは、友だちを作りたければ犬を飼えばよい、とよく言われる。会話のきっかけができやすいからだ。ノートパソコンも犬のようなものだ。

その夜も、カフェで隣にすわっていた五十代くらいの白人女性が、席を立ったかと思うと、私の脇で足を止めた。視線を感じたが、今日は真剣に仕事をしなければならない。雑談をしている余裕はない。私は気づかないふりをして、キーをたたき続けた。

それ、ノートパソコンでしょ。なんて静かなのかしら。キーをたたく音もしないのね、と、ついにその女の人は私に話しかけた。

私も物書きなのよ。戯曲を書いているわ、と彼女が言う。

ああ、そうですか、と私は簡単な返事をした。アメリカ人風の大袈裟《おおげさ》な反応をして、興味があると思われては困るのだ。今日は仕事をしなければならない。

その女の人は、コップを手に立ち上がるたびに私の方を見て、もうちょっと水をもらってくるわね、と声をかけ、私が顔を上げて軽くうなずくのを待って、水を取りにいくのだ。まるで、母親の許しを乞《こ》う子どものように。

彼女は何か話したそうに、食べ終わってからもそこにすわっている。

どうして、ここで仕事をしているの？

集中して仕事をしようと思って、と私が答える。

私の意思を察したのだろうか。彼女は店の奥の方に歩いていったかと思うと、壁にかけられた鏡で自分の顔をのぞき込んでいる。


I don't mean to bother you.

別に邪魔するつもりはないんだけど。

気がつくと、彼女が戻っていた。

素顔だったはずなのに、真っ赤な口紅とほお紅をさしていた。

明日、写真撮影があるのよ。私、女優もしているの。

どうやら、彼女と私は会話を交わす運命にあるようだ。ノートパソコンをオフにし、私は彼女の話に耳を傾けることにした。

I don't mean to bother you. ＝別に邪魔するつもりはないんだけど

目からウロコ

あなたも同じこと、したことあると思うけど、口紅を一本買うつもりでお店に行ったのに、セールだったから四本も衝動買いしちゃったの。四本よ、まったく。

私は日本人の母親の役をやったことがあるの。Tokyo Cancan（東京カンカン）っていうオフブロードウエーのミュージカルよ。終戦直後に靴磨きをしていた男の子の話。日本人の監督が自分の話をもとに作ったらしいわ。

私と子どもたちは防空壕の中にいて、自分たちの家が空襲で燃えるのを目のあたりにしている。やがて、アメリカの進駐軍がやってくる。

で、これを理解するうえで大切なのは、この劇はアメリカ人ではなく、日本人の視点であること。私はアメリカ人だけど、日本人の母親になり切って、目の前で自分の家が焼けているのを見ていた……。

It was an eye-opener for me.

目からウロコが落ちたわ。

つい最近、アイデアがわいて、ミュージカルを書き上げたの。アメリカの女性運動が日本の女性に与えた影響についてなの。どう？　面白いでしょう。

タイトルは New Day か I Don't Think So っていうのがいいと思うんだけど。ある時、日本人の監督と話していたら、彼が、うちの妻が僕にたてついて、I don't think so. って言うんだよ、信じられないよ、まったく、って愚痴《ぐち》っていたところから、このタイトルは考えついたのよ。

あなたもそうだと思うけど、ちょっとしたヒントを得て、私たちは作品を創り上げるのよね。ミュージカルを書くのはものすごく時間がかかって、大変なのよ。書くうえで大切なのは、人との関わりと会話。その人の人となりを描くことよね。

さて、これが私の名前と住所。何か質問があったら、いつでも電話をして。私の字、読めるでしょ、きれいだから。なにしろ、前は幼稚園の先生もしていたんだから。

OK, my friend.

それじゃあね、私のお友だち。

そう言って、ローリーと名乗るこの人は消えていった。

人との出会いは、いつも私に何かを感じさせ、エネルギーを与えてくれる。彼女との出会いは私にとって、まさに eye-opener だった。

It was an eye-opener for me. =目からウロコが落ちたわ

ミント・ティーとアラーの神

マンハッタンのチェルシー・マーケットには、モロッコ人の経営する店がある。モロッコ絨毯、皿、タジンというモロッコの伝統料理を作るための、円錐《えんすい》形のふたのついた土鍋などを数多く揃えている。タジンは、チキンやイモ、ニンジンをターメリック、サフラン、クミンなどで煮込んだもので、見た目はカレーのような料理だ。こってりとしていておいしい。

昨年、この店を訪れた私は、やけにモロッコが懐かしくなった。

数年前にモロッコを旅したんですよ、と店主に声をかけた。

彼の名前はモハメッドだった。ちょうど、モロッコ人がよく飲むミント・ティーを入れているところだった。ポットを持ち上げて、高い位置からミントの葉の入ったグラスに注ぐ。彼を訪ねて立ち寄った、知り合いの男の人と飲むためだ。近くのレストランのシェフだった。

僕らは祖国は違うけれど、宗教は同じなんだ、とモハメッドが言う。

シェフはトルコ人で、ふたりともイスラム教徒だ。

君もミント・ティー、どう？

彼がいれてくれたティーは、ミントの香りが強く、そして甘く、モロッコがますます近くに感じられた。

トルコは地震で大変だったわね、と私が言った。

そうなんだ。僕の父親は大地震の三日後に亡くなった。地震のショックで、心臓発作を起こしたんだ。家族もけがをした。

それを聞いて、モハメッドも驚いたようだった。

知らなかった、兄弟よ。それは気の毒に。アラー、アクバル。

モハメッドがアラビア語でつぶやいた。

どうか、この兄弟にアラーの神のお恵みがありますように、ということだ。

God bless you.

私もモハメッドと同じ思いで、そう祈った。

God bless you.＝神のお恵みがありますように

NYはネタが尽きない

トルコ人が去ったかと思うと、今度はその店に別の知り合いが訪ねてきた。フランス系アメリカ人だ。ふたりは握手をし、フランス語で話し始めた。モロッコはフランスの植民地だったので、英語はできなくても、フランス語が話せる人が多い。

その人はそれほど迷わずに、百十ドルほどの長めの枕をひとつ買った。

彼女はニューヨークについてエッセイを書いているんだ、とモハメッドが彼に私を紹介した。

何かネタがないかしら、と私が言った。

するとその人が答えた。

In New York you should have no problem.

ニューヨークなら、ネタには困らないはずだよ、ということだ。

その人はフラワー・デコレーターだった。彼のようなアーチストたちが、仕事場としてこのマーケットの地下のスペースを借りているという。

彼が仕事場に私を案内してくれることになった。地下はまさに倉庫でほこりっぽい。

作業、倉庫、事務所用の三つのスペースを見せてくれた。作業場には、カゴやドライフラワー、大きな布などが吊《つ》るされていた。生花を保存するための大きな冷蔵室があった。

ファッション・ショーのステージの仕事が終わったところなんだ。今週はニューヨーク・フィルハーモニック（交響楽団）の仕事があるから、明日はこの冷蔵室は花でいっぱいになるよ。

ニューヨークのリンカーンセンターやカーネギー・ホール、首都ワシントンのケネディ・センターなどのコンサート・ホール、ジャンニ・ベルサーチら有名デザイナーのファッション・ショーのステージの装飾を請け負っているという。

彼は、ミッドタウンにある有名な高級フレンチ・レストラン「La Grenouille」の経営者でもあった。道理でこの店が、豪華な花の装飾で知られているわけだ。

別れぎわに彼は、自分が書いた本をくれた。

彼の言葉どおり、ニューヨークの街を歩けば、必ずこうして新たな刺激に満ちた出会いがある。

In New York you should have no problem.＝ニューヨークなら、ネタには困らないはずだよ

去りゆく車椅子

大学院に留学するためにニューヨークに来たばかりの頃だ。奨学金をもらえたので授業料は免除されたが、生活費は自分で払うので、質素な生活になることはわかっていた。だが、私はそういう生活を、逆にとても楽しめる性格らしい。

本棚がなかったので、自分で作ろうと思い立った。小学校の頃から工作は苦手だった。トンカチやクギを使うのは、私には複雑すぎる。本が並べばよいのだから、コンクリートのブロックと木材を組み合わせればいい。

さっそく、ソーホーに材木店を見つけた。切れ端ならあげるよ、と言うので、適当な木材をもらった。グリニッチ・ビレッジのアパートまで、二メートルほどの木材をずるずると引きずって歩いた。旅行者らしき若い男の人が、手伝ってあげようか、と声をかけてくれた。そのまま運べそうだったので、ありがとう、でも大丈夫、と答えた。

次はブロック探しだ。アパートのドアマンに聞くと、中庭に転がっているのを持っていっていいよ、と言う。四棟のアパートに囲まれた中庭は、かなり広い。コンクリートのブロックは、さすがに重たかった。両手で持ち上げ、腰を低めてよろよろ歩いていると、後ろから声がした。
僕が持っていってあげるよ。
ふり返ると、車椅子に乗った男の人がいた。
私が黙って立っていると、そのブロックを僕のひざの上に乗せなさい、と言う。
ためらっていると、彼は微笑みながら、もう一度、同じことを言った。
でも、これ、重たいから。
ブロックを抱えたまま、私が言った。
だから僕なら、すぐに運べるだろ。
It's a piece of cake.
お安いご用だよ。

ひざの上にそっとブロックをのせると、彼は両手で車椅子の車輪を動かしながら、前に進み始めた。私はそのすぐ脇を、車椅子に歩調を合わせて、彼を見守るように歩いた。

アパートの前まで来ると、彼からブロックを受け取った。

それじゃ、よい週末を。さよなら。

彼はそう言うと、何事もなかったかのように、車椅子をすべらせて、去っていった。

It's a piece of cake. ＝お安いご用だよ

まな板もないキッチン

ゲイルのキッチンには、包丁もまな板もない。

だって、切るもの、ないんだもの、とゲイルは言う。

私、今日は料理をしたのよ、といかにも大仕事をやり遂げたかのようにゲイルが言えば、それはターキーやチキンを一羽、オーブンで丸焼きした、ということである。それでも一応、味つけはする。ガーリック、オニオン、パプリカなどのパウダーをふりかけ、オーブンに突っ込む。ターキーを焼けば、ひとりで三週間もかけて食べている。

朝はコーヒーだけで、昼はほとんど毎日、お弁当を持っていく。とはいえ、フランスパンに、ハムかターキーと、チーズのスライスをはさむだけだ。

夜はたいてい、中華料理のテイクアウトだ。なぜか電子レンジはない。冷蔵庫から出したネコのエサの缶詰ひとつ温めるだけでも、大きなオーブンを使う。

包丁がないので、私はアメリカの巨大な野菜を切るのに、幅一センチほどのステーキナイフを使う。キュウリもピーマンもナスも、日本の三、四倍の大きさだ。まな板がないので、それを皿の上で切るのがいかに忍耐力を要するか、察することができると思う。

というわけで、ゲイルは野菜をほとんど食べない。たまにトマトを買えば、買ったことすら忘れるので、私が毎朝のように、トマトが腐るよ、と忠告する。一週間後、腐ったトマトを私が捨てる。

私が作るのは、たいてい野菜たっぷりの料理なので、勧めても彼女はほとんど食べない。

何、それ？　海草に発酵した豆（納豆のことである）に、ゆで野菜？　ノー、サンキュー。お金をもらってもいらないわ、とゲイルは言う。

着色料や保存料たっぷりのお菓子やポテトチップスが、いつも欠かさず置いてある。自分の食生活に改善の余地が大いにあることは、よくわかっているようだ。

つい最近も、言っていた。

こんな食生活していて、今も生きているのが、不思議だわ。

だったら、もっと野菜食べれば？

Nah, I can't be bothered.

面倒くさい。どうでもいいわ。

今夜も彼女は、テイクアウトのスペアリブをかじっている。

I can't be bothered. ＝面倒臭い、どうでもいいわ

強引なイタリアン・レストラン

数年前に出版された自分の本を持って、リトルイタリーのレストランへ行った。その庶民的なレストランが好きで、初めてそこで食事をした時のことをエッセイにし、本に収めたからだ。

相変わらず、マネージャー自らレストランの前に立ち、通りがかる人たちを強引に店に引き入れようとしている。

おお、元気か。

Long time no see！

しばらくぶりだな。

私に気がつくと、マネージャーはいつものように私の肩に腕を回す。

店の正面を撮った写真を見せると、私から本を引ったくり、急いで店の中に入っていった。

彼が何か叫ぶと、テーブルから、厨房から、スタッフが集まってきた。うれしそうにしばらくそれをみんなで眺めていると、マネージャーがそのうちのひとりに命令する。おい、今すぐに行って、拡大コピーを取ってこい。

そう言っていたらしいことが、やがてわかった。なにしろ、仲間うちではイタリア語で話すから、私にはわからない。

二十分もすると、使いに出された男が、コピーと本を握りしめ、戻ってきた。本の表紙に店の写真、そしてエッセイ一ページ分のカラーコピーだ。

おお、おお、なかなかいい出来だ、とマネージャーは満足な様子だ。

私が口をはさんだ。

エッセイもコピーするなら、違うページにすればよかったわね。見た目はぱっとしないけど、料理は天下一品さ、っていうイタリア人のおばあさんのセリフが載っているところがあるのに。

なんだ、そうなのか。

マネージャーが責めるように私を見る。

それを早く言え、とでも言いたげだ。

おい、もう一度、行ってこい。ここだぞ。このページをしっかりコピーしてくるんだ。

マネージャーはたぶん、そう言っている。

再び使いの男が戻ってくると、マネージャーは拡大コピーを取り上げ、レストランのテーブルに広げ、余分な部分を定規を使って不器用そうに切り取り始めた。その間、彼はひと言も口をきかない。子どものように熱中しているのだ。

出来上がると、それを持ってレストランの外へ行き、正面のガラス窓にテープで貼った。

彼はしばらくの間、大事な客引きも忘れ、それを眺めて悦に入っていた。

Long time no see！＝しばらくぶりだな

タフ！

私の誕生日にゲイルと外食することになった。私の誕生日なのだから、何を食べに行くか私が決めろと彼女は譲らない。

仕事場から三、四度、私に電話をし、一世一代の決断をしたか、と尋ねてくる。近所でもいいし、遠くに車で行ってもいいわよと言う。

少なくとも彼女の方が好き嫌いが多い。私はチベット料理でも、モロッコ料理でも、アフガニスタン料理でも、何でも好きになれるタイプだ。それでも彼女は譲らない。

仕方がないので、三つのレストランを選んだ。近くのメキシカン・レストラン、マンハッタンのスパニッシュ・レストラン、そして、ギリシャ人街にあるグリーク・レストランだ。その中から、ゲイルがメキシカン・レストランを選んだ。

お金をおろすために、銀行に寄ろうとすると、

クレジットカードで支払えるから大丈夫、とゲイルが言う。

レストランに入り、コロナビールに、チキンのブリートーとチミチャンガをオーダーした。

食事が終わると、ゲイルは素早く自分のクレジットカードをウエーターに渡した。私があわてて自分のクレジットカードを出そうとすると、彼女が言った。

Tough!

おあいにくさま、残念でした、というところだろうか。

自分がおごるそぶりをまったく見せずに、彼女は支払いを済ませた。

歯が浮くようなお世辞はおろか、やさしい言葉も口にしない。

さばさばした彼女に、なんてお似合いの表現なのだろう。

Tough!＝おあいにくさま

ベーグルなんか、ほしかねえ

夫とイタリアン・レストランで食事をした。ビールとワインを頼んだ。ところがテーブルに置かれた勘定書に、ドリンクが書かれていなかった。つけ忘れたのだろう。

そのことを伝えると、ウエーターが言った。

ああ、君たちは僕の命を救ってくれたよ。

そして、ドリンクをおごらせてください、と言った。私たちはそれ以上、飲むつもりはなかったので、辞退した。


Are you nuts?

あんた、おかしいんじゃない？

そう言うのはもちろん、この話を聞いたゲイルである。

そんなこと、バカ正直に言う人、いないわよ。私なんて、この前、スーパーで三ドル近くするミルクを一ドル五十セントしか請求されなかったけど、Thank you very much. ってお礼を言って、出てきたわよ。

それから数か月後のことだ。部屋で仕事をしている私のところへ、ゲイルがやってきた。近所に買い物に行って、帰ってきたところだ。

今、ベーグル・ショップに寄ったんだけど、八個頼んで、ひとつ三五セントなの。本当は二ドル八十セントのはずでしょ。それなのにおじさん、二ドル十セント、って言うのよ。そのうえ、ふたつ、おまけだよ、って十個くれるのよ。

例のごとく、Thank you very much. ってお礼を言って、出てきたの。そしたら、店の前に、ホームレスの男がいたのよ。ほら、いつもあの辺にぶらぶらしている人、いるじゃない。

ただでもらったベーグルだし、ベーグル、いりますか、って声をかけたの。そしたら、その男、ベーグル？　なんでオレがベーグルなんか、ほしいんだい？　オレはベーグルなんか、ほしかねえよ！　って、私を怒鳴りつけるのよ。そりゃ、どうも失礼いたしました、って感じよね。

That's what I get.

こういうことになるわけよ。私がめずらしく、親切心を起こすとね。

ただでもらったベーグルをかじりながら、ゲイルは理不尽な世の中を嘆いている。

That's what I get.＝こういうことになるわけよ

自分の似顔絵を描くミミ

ねえ、この中でどれが一番、私に似ているかしら？

カフェで隣にすわっていた高齢の女の人が、三つの顔が描かれた紙を私に手渡した。さっきからしきりに鉛筆を動かしていると思ったら、自分の似顔絵を描いていたのだ。

そうね、これかしら？

私は一番下の絵を指差した。

ん？　それ、ね。ねえ、具体的にどこがどう、私に似ていると思うの？　表情かしら？　それとも輪郭？

そんなに深く考えて選んだわけではない。理由を聞かれて、私は戸惑う。

う〜ん、表情も輪郭も、似ているわ。

あ、そう。うん、そうね。ねえ、あなた、いったいさっきから何を打ち込んでいるの？　何か書いているわけ？

私はすでに三十分くらい、コーヒーを飲みながらノートパソコンに向かって原稿を書いていた。

本を書いているの、と私が答えた。

まあ、本。何について？

アメリカの家族よ。

出版されるの？

ええ、日本で。

出版されるって、どうして、あなた、そんなこと、わかるわけ？

どうしてって、出版社が決まってますから。

私はアメリカではとても若く見られ、いつも学生と間違えられる。出版される本の取材だと伝えても、大学で論文を書いていると勘違いされることがある。

まあ、とその人は驚いた様子で身を乗り出した。じゃあ、あなたはプロの物書きってわけ？　だからあなたは、どれが一番、私に似ているか、見事に当てたのね。

I knew it！　I knew it！　I knew it！

そうでしょ、そうでしょ、そうでしょ！

私には始めからわかっていたのよ！　あなたなら、アートのセンスがあるだろうって。

そうよ、確かにこれが一番、私に似ているわ。

そう言いながら、彼女はまた、満足そうに似顔絵を見つめている。

I knew it！＝そうでしょ！

その人はメモ魔

あなたは物書きなのね。じつは私、本を読むのが大好きなのよ、とその女の人は話し続ける。

私、読書クラブに入っていて、毎週水曜日の夜はカフェに詩の朗読を聞きに行くの。グリニッチ・ビレッジなんかからも、人が集まるのよ。私がちらしを配っているものだから。もちろん、プロじゃないんだけど、なかなか上手な人もいるわよ。ねえ、あなたは英語では書かないの？

少しずつ書いてはいるけど。大学院では創作学科だったから、短編を書いていたわ。

まあ。じつは私、短編が大好きなのよ。ちょうど、一九九八年のBest American Short Storiesっていう本を読み終えたばかり。ええっと、誰の作品が載っていたかしら……、あなたが何人か作家の名前を挙げてくれたら、思い出せるかも……。

Grace Paley？

たぶん、その人、載ってたわ。ほかには？

Amy Hempel.

ラストネームのつづりを教えて。

私がつづりを言い始めると、ちょっと待って、と言いながら、彼女はあわてて紙と鉛筆を取り出した。

それ、メモしておかなきゃ。A、m、y、H、e、m、p、e、l、エイミー・ヘンペル、っと。そういえば、この前、すごくいい本、読んだのよ。教え子でスポーツライターの男の人が、モリー先生が死にそうだと知って、火曜日になると会いに行くの。Tuesdays With Morrie（モリー先生との火曜日）っていうタイトルなんだけど、聞いたことあるかしら。

それ、日本語にも訳されて、かなり売れていると思うわよ、と私が言った。

You must be kidding.

冗談でしょ、と彼女は驚いて、私を見る。

そうよね、そうでしょ、そうでしょ。日本人にはあの繊細さが理解できるって、私にはわかっていたのよ。ちょっと、これもメモしとかなきゃ……、えっと、紙、紙……Tuesdays With Morrie が日本で翻訳されていて、ベストセラーになっている……っと。

You must be kidding.＝[冗談でしょ

消せない消しゴム

私、似顔絵しか描かないの。ねえ、あなたの似顔絵を描いてあげたいんだけど。いいかしら?

この女の人は唐突に聞く。

一瞬、戸惑ったが、この人は単に似顔絵を描くのが好きなのだろう。断われば、彼女を傷つけてしまうような気がしたので、どうぞ、と答えた。

でも、でも、紙がないわ。紙、紙、紙。あなた、持ってないの?

線が入ったのでよければ、ノートがあるけれど。

線が入ってるのなんて、だめ。仕方がないわ。あなたの顔は小さいから、これで足りるでしょう。

そう言いながら、自分の似顔絵を描いた紙の空白の部分を、手で小さく千切《ちぎ》り始めた。

あら、私の顔が切れちゃったわ。

この女の人は私のテーブルに移動し、正面にすわり込むと、手にした鉛筆を私の目の高さに掲げた。

はい、これを見て。もうちょっと右。だめ。手を顔にやらないで。動かずにそのまま。

Attagirl！（That's the girl！）

そう、いいわ、その感じよ。

突然、プロの画家のような口調になる。

私の顔の輪郭を描き、髪の毛を塗り、目、鼻、口、と順に仕上げていく。

あ、忘れてたわ。髪の毛、真ん中に分け目があるのよね。いいヘアスタイルだわ、よく似合っている。

さあ、できたわ、と彼女は絵と私の顔を見比べている。だが、出来栄えがいまひとつ、気に入らないようだ。

あなたの口、私の描いたのと、違うのよね。

まるで彼女の絵をもとにして、私の口が出来上がったかのように言う。

鉛筆の頭についた消しゴムで、口の部分を消そうとすると、黒く汚れて、大きく広がった。

なんなの、これ。これでも消しゴムなのかしら。こんな消しゴム、あなた、見たことある？　消しゴムなのに消せない消しゴム。

彼女はぶつぶつ文句を言いながら、消しゴムでこすり続け、口はさらに大きくなった。

あんまりいじくらない方がいいのね、きっと。ね、どう。似ているかしら。

すてきじゃない。実物よりずっといいわ、と私が言う。

似顔絵の私は、意外にかわいく、おとなしそうに見えた。

日本に持って帰って、みんなに見せるわ。ありがとう。

それがいいわ。あら、もうこんな時間。あなたの名前は？　私はミミ。それじゃあ、またね。

あれほど、話し込んでいたのに、さっさと持ち物をまとめて、何の未練もないように、彼女は立ち去っていった。


Attagirl！（That's the girl！）＝そう、その感じよ

朗読会と精神科病院

似顔絵描きのミミが教えてくれた詩の朗読会に、ふらっと立ち寄ってみた。ニューヨークでは書店やカフェで、詩や小説の朗読会が行われる。カフェの奥にある半分くらいのスペースに、二十人ほどが集まっていた。ミミの姿もあった。

ひとりずつマイクの前に立ち、ノートを見ながら、あるいは何も持たずに、自分の作った詩を朗読している。

墓地に立つ
彼らは横たわり
私はたたずむ
彼らと私の違いは角度に過ぎない

そんな詩を読んでは、拍手を浴びる。時には歓声があがる。

朗読会が終わると、誰かが持ってきたカセットデッキから流れる音楽に合わせ、みんなが踊り始めた。まちまちの振りで、それぞれが好き勝手に踊っている。

踊りに合わせ、手拍子をとっていたミミが、突然、叫んだ。

あんたたち、あたしの足より踊りの方が大事なんだね。ちょっとやめてちょうだい。

ミミは顔を真っ赤にして怒っている。テーブルが押され、ミミの足に触れたらしい。

聞こえたのか、聞こえなかったのか、ミミに気を留めることもなく、みんなは踊り続けている。ミミもすぐに機嫌《きげん》を直し、踊りに合わせてまた手拍子をとっている。

あんた、踊りがうまいね。

ミミが踊っている女の人に向かって叫ぶ。

ありがと。トップレスダンサーだったのよ、あたし。

道理でうまいと思った。

ミミは驚いた様子もなくそう答えると、踊っている仲間たちを見ながら、つぶやく。

あたしはこの朗読会が大好きなんだよ。このおかげで、ベルビュー・ホスピタルに入らなくて済むんだからね。

この病院は、精神科病院の代名詞になっている。

ミミはこの前、私の似顔絵を描きたいと言ったあとで、こうつけ加えた。

You must think I'm nuts.

私のこと、まともじゃないと思ってるでしょ、ということだ。

踊りに合わせて手拍子をとりながら、ミミが私に言う。

あたしはね、いつもこんなことばかりしているわけじゃないんだよ。昼間はしっかり保険会社で働いてるんだから。ほら、今日もこうして日当をもらってきたよ。

そう言って、バッグの中から額面七十ドルの小切手を取り出して、私に見せた。

You must think I'm nuts. = 私のこと、まともじゃないと思ってるでしょ

第四章　ある日のこと

ベランダ越しに見るドラマ

春の終わりから秋の初めにかけて、家で仕事をする日は、ほぼ一日をベランダで過ごす。朝起きれば、キッチンで用意した朝食をベランダに運び、そこで食事をする。閑静な住宅地の、植物に囲まれたテラスには、静かなクラシック音楽が流れる。木々を飛び交う鳥のさえずりも聞こえる。

食事が終わると、ノートパソコンや資料をテラスに移動し、夫と向かい合ってすわる。執筆には申し分ない環境だ。すがすがしい気分でパソコンの電源を入れる。

あら、今朝はもう、仕事？　犬の散歩をしている友人が話しかけてくる。

一階なので、道行く人たちが声をかけやすい。犬が食欲がないとか、昨日の夜の野外コンサートは、雨が降り出してさんざんだったとか、彼女は延々と話し続ける。

ようやく彼女が去る。パソコンにはファイルさえ、開かれていない。

雑誌連載のエッセイに取りかかる。書き出しはなかなか順調だ。

すてきなベランダね。

見下ろすと、見知らぬ女の人が立ち止まっている。

それは、どうも。私も気に入っているの、と私は答える。ほめられて、にこやかに返事をしないわけにはいかない。

その鉢、とてもいいわね。どこで手に入れたの？

いくつかの質問に答えると、やがてその人は去っていった。

画面にはまだ、文がひとつしか打たれていない。次は何を書くはずだったか、すっかり忘れている。

Excuse me.

今度は若い男の人が立っている。

申し訳ないんだけど、ここに車をとめていくから、ちょっと見ていてくれませんか？十五分ほどで戻りますから。じゃあ。

ベランダでぶらぶらしているように見えるかもしれないが、私たちは仕事中である。I'm trying to beat the deadline.

私は締切に間に合うように、必死なのだ。

とはいえ、ニューヨークは車の盗難が多いのである。彼の気持ちもわからなくはない。私の目は、車に釘づけになっている。

そうこうしているうちに、もうランチの時間だ。パソコンや資料をテーブルの隅に追いやり、サラダに、ツナとワカメのパスタをどんとテーブルの真ん中に置く。

緑を眺め、クラシック音楽を聞きながら、ヘルシーなおいしい食事を、愛する夫といただく。午後の執筆がはかどらないわけがない。

洗い物を済ませ、さて、いよいよ仕事本番だ。

何やら騒がしくなったと思ったら、すぐ目の前で、若いカップルが激しい口論を始めた。女は泣き叫んでいる。前のアパートの窓から中年の女性が顔を出し、警察を呼ぶわよ、とカップルに向かって叫んでいる。

男はあとを追う女をふり払い、ひとり車に乗り込み、走り去っていった。

しばらくすると、車が戻ってきた。

ふたりは何かささやき合っていたかと思うと、突然、ひしと抱き合い、熱いキスを交わし始めた。


いったい今のは、何だったわけ？

一部始終を眺めていた私は、夫に問いかける。

締切、間に合うんだろうな。

締切か。すっかり忘れていた。

I'm trying to beat the deadline. ＝締切に間に合うように必死なのよ

クレジットカードの懺悔

アメリカ人はあまり現金を持ち歩かない。小切手かクレジットカードで、ほとんどの支払いができるからだ。二十年ほど前に初めてアメリカを訪れた時、スーパーマーケットの支払いを小切手で済ませている人が多かったのが、とても新鮮だった。

今では買い物をすると、

Cash or charge?　と聞かれる。

cash は現金、charge はクレジットカード払いのことだ。場所によっては、カードでの支払いは十ドル以上に限るといった規定がある。二、三ドルの買い物に使うのはかなり気が引けるが、大手ではまずいやな顔をしない。

クレジットカードはかなり普及している。郵便局や映画館、地下鉄の駅、そして病院でも使うことができる。

各航空会社が特定の企業と提携し、クレジットカードで購入すればマイルが貯まるシステムが、かなり前から普及している。マイルを使い、ただで旅行や航空券のアップグレードができるので、必死にカードを使おうとするわけだ。

最近、ラジオでこんなコマーシャルを耳にした。何の宣伝か聞き逃したが、当社のサービスを利用すれば、苦労せずにマイルが貯まります、という内容だ。男の人が、暗いこもった声で、罪の告白をしている。

神父様……私はクレジットカードでチューインガムを買ってしまいます。自分の車を持っているというのにレンタカーを借り、そのうえ、家族でホテルに引っ越してしまいました。

二〇〇〇年からは所得税さえ、クレジットカードで納められるようになった。すぐにマイルが貯まり、ニューヨークと東京がますます近くなることを考えると、税金を払うのも楽しみになりそうで、恐ろしい。

Cash or charge？＝現金？　それともクレジットカード？

魔の四月十五日

魔の四月十五日である。前年分の所得税の確定申告の期限だ。

Have you done your taxes ?

税金の申告した？

三月頃になると、これが人々が交わす挨拶となる。

アメリカではみんな、自分で税金を申告しなければならない。公認会計士に頼むにしても、経費や控除の対象となるものを、整理しなければならない。とくに私はフリーで、日米で収入があるため、複雑だ。必要な書類はかなりの枚数になる。

以前は、日本の事情にも詳しいと紹介されたアメリカ人の公認会計士に頼んでいた。ところが、彼女が仕上げて送ってきた書類に念のために目を通すと、間違いがあった。電話で伝えると、彼女は言う。

そうやって、自分で書類に目を通して確認してくれる人は少ないのよ。本当によかったわ。みんながそうしてくれると助かるのよね。

訂正を加え、再び彼女が送ってきた書類に目を通すと、新たな間違いを発見した。三、四度の訂正を経て、やっと完成した。彼女をプロと呼ぶなら、私は自分でできると確信した。それ以来、不明な点は国税庁などに問い合わせ、自分でやっている。

必要な書類は、国税庁とニューヨーク州のウエブサイトから印刷できる。とはいえ、税法が頻繁に変わるため、前年と同じようにすればよいというものでもない。毎月、きちんと経費を整理しておかない不精もたたり、毎年四月に入ると、大変な思いをする。覚悟を決めると、夫とふたりで闘いが始まる。レシートやクレジットカードの請求書をかき集め、部屋中に書類を広げ、電卓をたたき、数字を無数に書き込み、計算し直し、コピーを取り、郵便局に飛び込む。四月十五日の消印があればよいのだ。

一度、私は最後の最後にミスを見つけ、二四時間開いているマンハッタンの中央郵便局に駆け込み、四月十五日午後十一時五八分に消印をもらったことがある。

郵便局の前には、テレビ局の車が並んでいた。私のようにぎりぎりに駆けつける人たちを取材に来ていたのだ。

テレビ局のライトで明るく照らされ、ホットドッグ・スタンドがにぎわい、真夜中だというのにお祭り騒ぎになっている。消印をもらってほっとした私も、しばらく打ち上げをしたいような気分に浸っていた。

アメリカン・ジョーク

最近、企業のトップばかりが集まったパーティで、こんなジョークを耳にしたと知り合いから聞いた。ある人がオウムを買いに行った。値段はさまざまだ。

このオウムは千ドルするんですか、と客が尋ねた。

なにしろ、それは英語を話すんですよ、と店員が答える。

こっちは二千ドルですか。

それは英語ばかりか、フランス語も話すんですよ。

これは三千ドルもするじゃないですか。

すごいんですよ、それは。英語とフランス語どころか、北京語まで話すんですから。

じゃ、これはいったい、何ができるんですか。五千ドルもするんでしょう。

それが、そいつはどの言葉もしゃべれないし、何もできないんですけど、みんなが〝社長〟って呼ぶんです。

企業のトップが自分を笑えるゆとりがいい。アメリカではジョークが潤滑油になっている。笑いは人をほっとさせる。数年前の冬、ラジオを聞いていると天気予報が流れた。

70 degrees ! Record-breaking weather. It's a good thing we only use CDs now.

今日は七十度（摂氏二十一度）、記録破りの気温です。今ではCDしか使っていないから、よかったですね。

record には「記録」と「レコード」の両方の意味がある。「記録を破る」と「レコードが壊れる」をかけたのだ。

アメリカにはとても変わった名前の食べ物がある。poor boy というサンドイッチだ。フランスパンにシーフードや肉をはさんだもので、本場ニューオーリンズではカキやナマズ、エビなどのフライを入れる。値段が安く、貧しい人でも買えたことから、この名前がついた。poor と boy の間にハイフンをつけないはずだが、念のためにニューオーリンズの新聞社に電話を入れた。

電話に出た記者が言った。

そうですね。ふつう、ハイフンではなくて、レタスとトマトを入れます。

こんなひと言で、会ったこともない人と心の触れ合いが生まれる。

電話を切る前に、彼が言った。

今度、ニューオーリンズに来る時には、連絡を待っているよ。

It's a good thing we only use CDs now. = 今はCDしか使っていないから、よかったですね

夏時間の〝呪文〟

ある春の日曜日の夜七時に、ニューヨーク大学の教授の家に食事に呼ばれた。一緒に訪ねることになっていた友人たちは、六時頃、私のアパートに現れた。教授の家は歩いて五分もかからない。なぜ一時間も早く現れたのだろう、と不思議だったが、うちでおしゃべりでもしてから行きたいのだろうと察して、コーヒーをいれ始めた。

友人たちは出てきたコーヒーに、顔を見合わせた。

そんな時間、ないだろ。さっさと出なきゃ、と彼らは言う。

すっかり忘れていた。世の中はすでに半日以上前から、私より一時間も早く回っていた。夏時間に突入したのだ。

昨年十月の最終日曜日の朝、七時半にセットした目覚ましで起きた。

さあ、部屋中のあらゆる時計を、一時間進めなきゃ、とゲイルが言う。

私はまた、うっかりしていた。夏時間が終わったのだ。

でも、ちょっと待てよ。一時間進める？　No, set your clock back.

一時間進めるのではなく、遅らせるのよ、と私が言う。

何、言っているの。進めるのよ。

違うってば。遅らせるの！

Spring forward, fall back.... ゲイルはもごもご呪文のようなものを唱える。

あ、そうか。あんたが正しい、とやっとゲイルは納得する。

アメリカではかなり前から夏時間を採用しているはずなのに、今でも混乱するらしい。ゲイルのように、人々は〝呪文〟を唱え、春には時計を進め、秋には遅らせることを確認する。一週間も前から、ラジオなどでは盛んに、時間を戻すのを忘れるな、と呼びかけているし、地下鉄のホームの時計などは、その頃からすでに一時間前にセットされている。

夏時間が終わった。ということは、日曜日の朝だというのに、私は六時半に起きたことになる。尊敬に値するではないか。早起きをすると、なんて朝が長く感じられるのだろう。充実した一日が送れそうだ、と私は張り切る。

ところが、日頃の睡眠不足がたたり、朝九時には眠くなった。今日だけは、罪悪感を感じることなしに、せっかくゆっくり寝ていられたのに。

得をしたような、損をしたような、よくわからない気分のまま、眠りに落ちた。

Set your clock back. = 時計の針を戻して

ウエディングドレスと厚底スニーカー

晴天のセントラルパーク。緑の芝生の上で、純白のウエディングドレスの女性と白のタキシード姿の男性がたわむれている。どちらもアジア系で、中国語を話している。手前にはカメラマンが立ち、ふたりの一瞬一瞬の表情を写真に収めている。湖を背景に芝生の上で寄り添い、次は口づけを交わし、今度はトンネルを背景にドレスを広げてすわる女性のかたわらに男性が立ち、さらに人の集まるベセスダの噴水の脇で、ふたりは地面にすわり込む。彼らの撮影は、半日ほど続いた。

ぶらりと散歩にパークを訪れたニューヨーカーや観光客が、彼らを見守る。アメリカでは、今結婚式を挙げるカップルは、ふた組にひと組に近い割合で離婚するといわれる。このふたりを見ながら、アメリカ人は何を思っているのだろうか。

突然、同じ広場で拍手が聞こえた。ふり返ると、牧師だろうか、黒いローブを着た女性の前に、タキシード姿の男性と深紫色のビロードのロングドレス姿の女性が立っていた。偶然、その場に居合わせた人たちも、拍手をしている。

たった今、セントラルパークのこの噴水の前で、愛の契りを交わしたのだ。

写真撮影が始まった。先ほどの若いカップルのように、ポーズを取ったりしない。ごく簡単で自然なスナップ写真だ。ふたりは五十代だろうか。スコットランド系だった。家族や友人らしき人たち十人ほどに囲まれていた。二十代くらいの男女は、それぞれの子どもたちだった。少し離れたところに、牧師らしき女性が立っている。

Yes, I just married them.

その女性が私に言った。

もちろん、彼らと結婚した、ではなく、彼らのためにたった今、私が結婚式を挙げたんですよ、という意味だ。

かたや中国系らしき若い華やかな初婚のふたり、かたやスコットランド系の落ち着いた熟年の再婚のふたり。なんとも対照的で、なんともアメリカ的な光景だ。

アメリカ的といえば、もうひとつある。中国系らしき女性が歩きやすいように、ウエディングドレスのすそを持ち上げると、彼女が履いていたのは厚底のスニーカーだった。

I just married them.＝たった今、私が彼らの式を挙げたんですよ

真夏の夜の夢

セントラルパークの野外劇場では、夏になると無料でシェークスピア劇が上演される。夜八時開演で、昨年は最終日の午後三時頃、たまたまパークにいたので、並ぼうかと思ったが、人の列は果てしなく長かった。チケットが確実に手に入るとは限らないのに、そのために待つ気力もなかったので、あきらめた。

早い人は何時頃から並んでいるのか聞こうと思い、列の先頭のチケット窓口まで延々と歩いていった。窓口では、すでにチケットが配られ始めていた。

チケットを手にしたあるカップルは、朝八時から並んでいるという。

今回は並ぶのをあきらめたわ。劇を楽しんでね、と言って、カップルと別れた。

Excuse me.

数分後、声をかけられた。ふり返ると、さっきのカップルだった。

もし友人が来られなかったら、チケットをあげようと思って。家の電話番号を教えてくれれば、わかり次第、連絡するけれど、と言う。

厚意がうれしかったが、家に戻る予定はなかったので、辞退した。

ここで初めて見たシェークスピア劇は、Midsummer Night's Dream（真夏の夜の夢）だった。あの感動を思い出し、厚意を受ければよかったと、あとから悔やまれた。外からでも留守電のメッセージを聞けることを、忘れていた。

「真夏の夜の夢」の時は、友人とワインやフライドチキンなどを持ち寄り、芝生にすわり込んでピクニックをしながら、気長に開演を待った。周りでは、若い黒人男性や中年の白人女性が、自分の家から冷えたビールや手作りのケーキを持ってきて、売っていた。公演はブラジルの劇団によるもので、ポルトガル語だった。日が沈み、やがて劇場は暗闇に包まれた。この広いパークに、私たちだけが存在しているようだった。舞台で灯《とも》される炎やライトが闇を照らし、幻想的な雰囲気をかもし出す。

持参したワインを少しずつ飲みながら、シェークスピアの世界にひたる。軽く酔い、火照《ほて》ったほおを、夜風がなでる。

It was literally a midsummer night's dream.

それはまさに、真夏の夜の夢だった。

It was literally a midsummer night's dream. ＝まさに、真夏の夜の夢だった

NYのラッシュアワー

地下鉄が遅れてもあまり文句を言わないニューヨーカーも、ラッシュ時の混雑は耐えがたいようだ。テレビでよく、日本のラッシュ時に、駅員が車両に乗客を押し込めている場面を映す。駅員が人の体を押すという行為も受け入れがたいらしい。人にもよるだろうが、快く感じる相手との距離が、日本人とは違うような気がする。見知らぬ人同士で体が触れ合うことに、アメリカ人は抵抗がある。以前、映画館で列に並んで順番を待っていた時、アメリカ人の友人に、前の人ともっと離れて立つようにと言われた。私にしてみれば、ごく普通の距離だったので、不思議な気がした。

ラッシュ時に、日本人の感覚ではまだ十分乗れるのに、次の地下鉄を待つ人も少なくない。奥の方は空いているのに、詰めようとしない。

この間も、後ろから押され、思わず前の人の体に触れると、

Stop pushing me！

押すの、やめてよ、

と、とてもいやな顔をされた。

こんな時、あの日本のラッシュアワーが懐かしく（?）なる。

日本のラッシュ時には、背の低い私は息ができないこともあったし、押されて体が宙に浮いてしまうこともあった。手すりに体を押しつけられ、骨が折れそうになったこともある。それでも私は、忍の一字で耐えていた。

ラッシュ時に、体が触れるたびに詫びていてはきりがないが、押された時には、ぶつかってしまった人に、なるべくすぐに謝るようにしている。言葉を交わせば、雰囲気も和らぐ。

いつだったか、満員の地下鉄で、目の前にいた女の人が、Unbelievable！（信じられない）と首を横に振っていた。

You think this is bad？ Wait until you come to Tokyo.

これがひどいと思うの？ まあ、東京に来てごらんなさいよ、と私が言った。

That's right！

そのとおり！

どこからか、男の人がそう答えた。

Wait until you come to Tokyo.＝まあ、東京に来てごらんなさいよ

黒人カメラマンのつぶやき

思い出したように電話をかけてくる友だちがいる。スティーブは黒人のフリーカメラマンだ。前はいろいろな仕事をしていたらしいが、もう何年も生活は苦しいようだ。ふた言目には、お金がなくて機材が買えない、とこぼしている。

彼は電話をかけてくると、ひとりでしゃべりまくる。たまに、君はどう思う？　と聞いてくるが、私の返事をさえぎり、そうだ、こんなこともあったんだと、別の話に移っていく。

僕に写真の仕事をくれるやつらが興味があるのは、現場に行って、その写真を撮ったかどうかだけなんだ。例えば、コニーアイランドに写真を撮りに行ったら、朝、地下鉄に乗って、コニーアイランドに着いて、ホットドッグを食って、それから……なんて言っても聞きやしない。

でも、人生ってそういうもんじゃないだろ。エベレストに登るんだって、いろいろな村を通って、風や寒さを経験して、って過程があるんだ。僕はそういう写真を撮りたいんだ。

僕の腹違いの弟は、盗みとかでライカーズアイランドの刑務所にずっと入ってたんだ。誕生日はいつもそこで過ごしてたよ。麻薬をやっててね。結局、麻薬中毒で死んだんだ。僕はそんな人生、送りたくない。

そうなろうと思ったら、簡単だよ。時々すごく落ち込んで、ドラッグに手を出したくなることがある。でも人間、落ちたら、終わりさ。

電話を切る前に、スティーブが言った。

ひとつだけ、君にお願いがあるんだけど。イースター（復活祭）の日に一緒に教会に行ってくれないかい。前に一度だけ君と一緒に行った、あの教会だよ。

いいわよ、と私は答えた。

マンハッタンのその教会には、いろいろな人種の人たちが来ていた。だから好きなんだ、と彼が話していたことを思い出した。

今まで与えられたものを、少しは神に返さなきゃ、ね。

I'm hanging in there.

何とか、頑張っているよ。

神が僕に命を与えて、毎朝こうして、目覚めさせてくれる限りは、ね。

I'm hanging in there.＝何とか、頑張っているよ

ニューヨーク恋物語

写真家のスティーブには、フィリピン人の妻がいる。フィリピンに旅行に行って、出会った。最初の妻は白人で、もう何年も前に別れた。

でもね、結局、今の妻はグリーンカード目当てだったんだよ、とスティーブは言う。

妻はアメリカ市民のスティーブと結婚することでグリーンカードを手に入れると、家族をみんな、アメリカに呼び寄せた。

妻はね、僕とセックスするくせに、ニグロの子どもはほしくないなんて言うんだ。テレビを見ていて殺人事件のニュースなんてやってると、犯人はきっと黒人よ、って僕の前で平気な顔で言う。

フィリピンに行った時、子どもたちが寄ってきて、
Hey, Joe! Do you play basketball?

ちょっと、兵隊さん、バスケットボールするの？　って聞くんだ。

Joe は GI Joe、アメリカ兵のことだ。

あの子たちはアメリカの黒人っていうと、みんなハーレムに住んでいて、バスケット

ボール選手か、こそドロだと思ってるんだ。

僕が背が高くて、白人だったら、人生はまったく違ったんだよ。そうしたら周囲は僕を認めてくれる。

I'm nothing.

僕には何も価値がないんだ。

何日か前だって、中国人の女性が三人、地下鉄に乗ってきて、すぐ近くの僕の隣の席が空いていたのに、すわらなかった。シートがどうのこうのって、くすくす笑った。僕のことを話しているんだ。

スティーブは結婚前から、妻にするなら日本人女性がいい、と言い続けていた。日本に行ったことがあるわけではない。三十年以上前に、日本人女性と文通をしていたという。

毎日、テレビの日本語放送を欠かさず、見ている。日本のテレビドラマには、アメリカのそれが失った心の温もりがある、と彼は言う。

「ニューヨーク恋物語」も見ていた。

あれはおもしろかった。でもね、高級レストランでもマンハッタンの街角でも、黒人は映っていないんだよ。

それが本当かどうか私にはわからないが、少なくとも、彼の目にはそう映っている。

日本人は人種偏見があって、金持ちの白人にしか興味ないさ、って僕の友だちは言うんだけど、そうなのかな。黒人女性は、僕自身の黒人としての過去を思い出させるから、いやなんだ。

スティーブは、箱に入れたまま、引き出しに大切にしまってあるものがあるという。妻にも誰にも、絶対に触らせない。

それは、何かのおみやげにもらった、真っ白な日本の扇子だ。

I'm nothing. ＝僕には何も価値がないんだ

インターネット・バブル

ウォール・ストリートはこのところずっと、景気がいい。

ラジオではこんな銀行の宣伝が流れてくる。

株でもうけたあなたのお金を、安全なマネー・マーケット・ファンド（格付けの高い公社債で運用する投資信託）に入れましょう。私どもは最高の利回りを誇っています。

タクシーの運転手が信号待ちに、ノートパソコンと携帯電話で株の動きをチェックしている。クラシック音楽専門のラジオ局では毎時間、ニュースの時に市場の動向を伝える。

私の周りでも、株に投資している人は多い。日本人相手にビジネスをしているある友人は、日本が不景気で仕事にならないからと、株に夢中になり始めた。一日中、コンピューターをつけっぱなしで、株の動きを追っている。インターネット関連の株で大もうけした別の友人は、先日、寿司をごちそうしてくれた。わずか数週間で、株価が二倍になる銘柄も珍しくない。

七年前、私も人並みに投資に興味を持った。かなりのリサーチをし、選び抜いた投資信託にすべてを賭けた。ところがそのうちのひとつが翌年、下がり始めたので、あわてて売った。売ったとたんに、ファンドは急騰した。

それ以来、私はすっかり興味を失ったものの、毎月、送られてくる明細に目を通しながら、時々、配当が入っていれば、それで満足だった。

最近、友人に刺激を受け、自分の持っている投資信託の過去五年間の成績を、インターネットのチャートで見てみた。そのうちのほとんどが、暴落している。

これはなんとかしなければならないと、私が口座を持つ証券会社に電話をかけた。私の投資信託の成績をコンピューターでひと通り見たブローカーの男の人は言う。

どうして二、三年前にうちに電話をしなかったんだい。世間がこれだけ景気のいい時に、もったいないことをしたね。

彼は私が気の毒そうだ。私も自分が気の毒になった。

I was in the wrong place at the wrong time.

いるべき時にいるべき場所を間違えたとは、まさにこのことである。

I was in the wrong place at the wrong time. ＝いるべき時にいるべき場所を間違えた

株を買おう！

もたもたしてはいられない。これまでのロスを取り戻さなければならない。株を買おう！　私は一念発起した。だが、三九年の人生で、私はこれまで、自分で株というものを買ったことがない。株には何か恐い響きがある。

Are you scared？ I understand where you're coming from.

たまたま電話に出た株のブローカーが言う。

恐いかい？　僕は君がどこからやってきているのか、わかっているよ。

つまり、僕も同じところからやってきたんだよ。君と同じだったんだよ。だから、その気持ち、わかるよ、ということだ。未知のことは、誰でも恐いのだ。

とはいえ、今はハイテク時代だ。恐い響きを持つ株も、インターネットならクリックひとつで買えてしまう。友人に勧められた九銘柄に、すべて指値で買い注文を出すことにした。自分で売買価格を指定する方法だ。指値はかなり低い。しばらくは買えないだろうと思い、Good Till Canceled（出合注文）にした。キャンセルするまで注文が生きる、ということだ。銘柄数が多いから、運がよければひとつやふたつ、引っかかるかもしれない。

　この証券会社のサイトを開いてみる。Stock Trading（株取引）へ進み、銘柄、株数、指値などを入力する。最後に注文を確認し、恐る恐るPlace Order（注文を出す）をクリックする。注文を受けました、というメッセージが現れる。こうして晴れて私も、株式市場に足を踏み入れた。


　夕方、ウェブサイトを開いてみた。ほかはopenと記されたままだが、一銘柄だけfilledとなっている。買えたのだ。A社の株である。

　しかも、その日の安値に限りなく近い約七十ドルだ。それも市場が閉まる寸前に取引が成立している。ちょうどその日、A社とT社が合併するというニュースが発表された。

　私は天才かもしれない。

　翌朝、嬉々として、パソコンの電源を入れ、インターネットで株価をチェックする。

　A社の株は七ドルも下がっている。翌々日、さらに五ドル、と下落し、私の自信も暴落した。

I understand where you're coming from. =君の気持ちがわかるよ

若く見え過ぎるのも……

アメリカで、日本人はとかく若く見られがちだ。二十歳前後だと、アルコールを買う時に、年齢を証明するために運転免許証の提示を求められることがある。四十代の日本人の女友だちは、免許証を見せろと言われたと大喜びしていた。

二三歳の時、ひとりで一か月間、グレイハウンドという長距離バスで全米を旅行したことがある。博物館だったか公園だったか忘れたが、何かの入場料を払う時だった。窓口の女性が、十二歳未満かと聞いてきた。

表示を見ると、十二歳未満は料金が半額だった。夏だったので、Tシャツにショーツ姿だったが、これにはさすがに言葉が出なかった。

それから十年ほど経ち、すでに三十歳を過ぎた時だ。当時、私は私立校で日本語を教えていた。教え子の黒人の女の子が、私の家に泊まりに来たいというので、駅まで迎えに行った。約束の時間を二十分過ぎても、彼女はやってこない。

小学生の女の子を待っているんだけど、いったい、どうしたのかしら？

心配になって、私は隣に立っていた中年の女の人に話しかけた。

電車が遅れているんでしょう。大丈夫、もうすぐ来るわよ、とその人は言う。

こうして、私たちは雑談を始めた。

その子に日本語を教えているんですよ、と私が言うと、彼女は驚いて私を見た。

I don't believe it.

うそでしょう？

まあ、すっかり、お友だちを待っているのかと思っていたわ。

何年か前に、アメリカの高校に取材に行った。カメラを肩からぶら下げ、取材ノートを手に持ち、廊下を歩いていると、生徒が声をかけてきた。

あの、あなたはどこの高校の学生新聞の記者なの？

I don't believe it. ＝うそでしょう？

バターとピーナッツバター

アメリカの高校に留学した時、私はカフェテリアのランチがとても楽しみだった。トレーの上にいろいろなものをのせてくれる。ポテトチップスやチョコレートケーキ、クッキーなどもついてくるのだ。日本の給食では、甘いものといえば、砂糖をまぶした揚げパンくらいがいいところで、おやつらしきものを食べた覚えがない。

それなのに、ダイエット中のやせた美しい友人たちは、カロリーの高いランチには見向きもせず、わざわざ家から食べ物を持ってくる。ビニール袋から、セロリやニンジンのスティックを数本取り出して、おいしそうに食べている。私は彼女たちを横目に見ながら、ランチをいつもきれいにたいらげ、一年後には五キロも太って帰国した。

それ以来、私はアメリカ人の食生活に興味を抱いている。

キャリアウーマンだった日本人の友人が、出産とともに仕事を辞め、子育てに専念している。長年、ニューヨーク住まいの彼女は、アメリカ人の母親の多くが、子どもができても働き続け、ろくに子育てもしない、とあきれている。

ある日、そんなアメリカ人の母親が、ベビーシッターがうちの子にバター・サンドを食べさせたのよ、と息巻いていた。

それはひどいわね、と私の友人は同情した。

ふだんから、よほど栄養に気を配っているのだろう。感心した友人が、いったい、ふだんはどんなものを食べさせているの、と聞いた。

アメリカ人の母親は胸を張って答えた。

ピーナッツバター・サンドよ。

これには、さすがのアメリカ人も笑うだろうと思い、私は友人のローズマリーに話した。彼女は六十代、私の母の世代だ。ローズマリーは大きくうなずいている。

そりゃ、そうよ。その母親が怒るのも無理ないわ。ピーナッツバターは、バターよりずっと栄養価が高いんだから。

Well, I... I guess so.

そ、そうなの、かもね、と私は意外な反応に戸惑う。

考えてみれば、バターとピーナッツバターの栄養価の違いを真剣に考えたことのない私が、間違っているのかもしれない。

それにしても、こんなアメリカ人の感覚が、私にはいまだによくわからない。

I guess so.＝そうなのかもね

日本の家はアラスカより寒い

私はとにかく寒がりだ。秋の夜、ゲイルが窓を開け、Tシャツ一枚で寝ている時でさえ、トレーナーを含め、四枚を重ね着し、靴下を二足履き、厚手の布団をかけている。Unbelievable!(信じられない)と、私たちはお互いに相手の姿を眺め合う。

アメリカでセントラルヒーティングの生活に慣れてしまうと、冬の日本の家の寒さは耐えがたい。和室で布団に横になると、畳の下から寒さが深々と伝わってくる。吐く息は真っ白で、外の気温と変わりはないと、まじめに思う。ありったけのかけ布団と毛布を引っ張り出し、重石の下の漬け物のようになって寝ている。湯たんぽには熱湯をなみなみと注ぎ、夫をひしと抱きしめて眠りにつく。

そんな話をすると、ウィスコンシン州にある寝具類の通信販売の会社を、友人のスーザンが教えてくれた。あそこの羽毛布団は最高よ。うちの両親もとても気に入っているわ。何ていったって、ウィスコンシン州だし、ね。

ウィスコンシン州はカナダとの国境にあって、かなり寒い。私は高校の時、そこで一年間、暮らしたことがある。朝、髪を洗えば、家を出たとたんに凍ってばりばりになり、鼻水は氷柱《つらら》と化す。そんなところから、ミツヨはよくも無事に生きて帰ってきたものだわ、とゲイルは口癖のように言う。

日本で使うためにぜひ、手に入れようと思い、さっそくその寝具類の会社に電話をかけた。想像できないとは思いますが、日本の家の中はとにかく寒くて、一番暖かい羽毛布団がほしいのです、と伝えた。

お客様サービスの女性は、部屋の温度を尋ねたので、摂氏〇度に近いはずだと答えた。事実、私は部屋の温度計が朝七時に摂氏四度を示すのを、目撃したことがある。

Ultra Warmth（超暖かい）という名のついた羽毛布団を勧められた。これ一枚で、アラスカもカナダも恐くありません、とその女性は自信たっぷりの様子だ。

でも、夜、暖房はつけないし、とにかく息が真っ白になるくらい寒……

I bet you.

賭けてもいいわ。絶対に大丈夫、とその女性は私をさえぎり、念を押す。

それでも私は、その羽毛布団を二枚、さらに純毛の毛布を注文した。

指折り数えて到着を待った商品を目にして、私は確信した。私はこれでもきっと寒いだろう。I bet you.

I bet you.＝賭けてもいいわ

冬越し

マンハッタンに雪が降ると、道をスキーで行き来する人が現れる。歩くより速いと彼らは言う。

セントラルパークで出会ったスキーヤーは、これからヘアサロンに行くところなの、と緩やかな坂をさっそうとすべり下りていった。

動かない車よりずっとまし、と車道を自転車でさっそうと走る人の姿もある。

一度、雪が降ると、気温が低いので、地面が凍って危険だ。病院には、凍った路面ですべって骨折した人が、次々と運び込まれる。私の友人は、凍結した歩道を避けて車道を歩いていたら、車にはねられ、腕を複雑骨折して入院した。

人々は帰宅の足を心配して、早退する。商店街では、Closed Early. Snowbound！（雪のため、早めに閉店）と貼り紙をし、早々と店を閉める。

ニューヨークのアパートでは、セントラルヒーティングが故障し、ダウンジャケットを着込んで、キッチンのコンロやオーブンの火で暖を取る人たちもいる。

かなり寒さが厳しかった冬は、ニューヨーク市の水族館のペンギンが例年の二倍の量の魚を食べたという。寒さから身を守るのに、多くのエネルギーが必要になるためだ。

ホームレスはシェルターに避難する。でも、シェルターはひどく汚いし、危ない。牢獄と同じだ、と道で凍える方を選ぶ人も少なくない。夜通し走っている地下鉄で寝ていれば、警官に追い出される。

街中の教会や慈善団体が、コートや毛布の寄付を募り、ホームレスに配る。彼らはコートや毛布に身をくるみ、段ボール箱を重ねて作った寝床で眠る。大きな防水の星条旗で作ったテントで、寒さをしのぐ人の姿もあった。

だが、毎年のように、ニューヨークの冬を越せないホームレスがいる。

I'm freezing to death.

もう寒くて死にそうよ、と私たちは簡単に口に出す。

ニューヨークではこれが本当に、身近で起きてしまう。

I'm freezing to death.＝もう寒くて死にそうよ

トイレの床での会話

モダンダンスを見に、ジョイス・シアターに出かけた。家を出る前に時間がなかったので、公演が始まる前に劇場の化粧室でコンタクトレンズを入れた。

友人の待つ席に戻る途中、目がぼやっとしていて、なんだかバランス感覚がおかしい。コンタクトを左右逆に入れてしまったのだろうか。右目をつぶると、かすんで見える。左目をじかに指で触ると痛い。なんと、左目には入っていないではないか。

公演が終わって、座席の周りや足元、着ていたセーターを手でなで回してみたが、見当たらない。化粧室に戻ると、列ができていた。洗面台をなで回したり、床にはいつくばったりしていると、何か探しているの、と人々が声をかけてきた。

コンタクトをなくしたと言うと、何人もの人が一斉に、一緒になって床にはいつくばり、探し始めた。

私も同じこと、やったわ、と同情してくれる人もいる。今度は色つきのにしなさい。そうすれば、なくした時に見つけやすいから。グリーンのがいいわ。なぜグリーンなのかわからないが、そうアドバイスする人がいる。なくしてもショックが少ないように、絶対に使い捨てがいいわよ、と別のアドバイスもあった。

やがてひとりが、気の毒そうに言った。

It's not worth it.

時間をかけて、これ以上、探す価値はないわ、ということだ。

確かにそうだ。でも私はなくしたショックより、さみしさが強かった。異物感があるのがいやで、ふだんはあまりしなかったから、コンタクトをつけるのはいつも特別なイベントの時だった。何年間も私の目となって、オペラや演劇、結婚式などを楽しませてくれた。目から取り出すと、生温かいコンタクトは、私の体の一部のように感じられた。

もしかしたら、ゴミ箱の中かもしれない。

誰もいない化粧室に戻り、ゴミ箱に捨てられた、湿ったペーパータオルを何枚か開いて見てみた。やはりどこにもない。ついに私はあきらめた。劇場は閉まろうとしていた。たかがコンタクトだ。が、ゴミと一緒に捨てられる運命にあるのかと思うと、無性に悲しくなった。もう少し探してあげればよかった。

It was worth it.

少なくとも私にとっては、そうだった。

It's not worth it.＝価値はないわ

老眼のキューティ・パイ

コンタクトレンズをなくしたので、新しいのを買いに、近くのメガネ店に行った。仮のコンタクトを渡され、一週間、様子を見て、また来るようにと言われた。

このコンタクトをすると、本の文字が読みにくいんですけど、と検眼医の若い女性に話した。

それは年齢のせいね。

だって、私はまだ三九歳なのよ。

四十歳近くなると、そろそろ必要になってくるわ。reading glasses が。

reading glasses は読書用メガネ？

reading glasses と言えば聞こえはよいが、日本語でいう老眼鏡のことではないか。

老眼が進まない方法は、ないのかしら。

それを知っていたら、私は今頃、億万長者だわ、と検眼医が笑う。

メガネの方が、近くのものは見やすいという。

メガネはふたつとも壊れて以来、もう数年、使っていないわ。メガネもコンタクトも好きじゃないから、ふだんはどっちもしないの。

検眼医は、手に持っていた書類を確認している。

あなた、本当にミツヨ・オカダなの？

彼女はほかの人の検眼結果を見ているかと思ったのだ。メガネをかけないくらいでそんなに驚くのだから、よほど近眼がひどいのだろう。

テレビを見る時は？

使わないでいたら、そのうち慣れちゃったみたい。

You're funny. おかしな人。で、コンピューターは？

そういえば、それも慣れちゃったわ。

You're amazing. 不思議な人、と彼女が言う。

外を歩いていて、見えるの？

よく見えないものもあるけど。壁に書かれたレストランのメニューが読めない時は、何があるんですか、って聞くわ。

You're a mystery to me. あなたは謎だわ。

だんだん私は、不可解な人間になっていくらしい。

私は意志の力で近眼を直そうとしているのだ。だが、それを口にすれば、あなたはまともじゃなかったのね、とでも言われそうで、やめた。

とりあえず、新しいコンタクトは私に合っているらしい。お礼を言い、部屋を出ようとすると、彼女が言った。

You're a cutie pie.

あなたって、かわいいわね。

これは、大人に対して使うこともあるが、ふつうは子どもなどに愛おしさを込めて言う言葉だ。

この検眼医は、私より十歳は若いはずだ。老眼の私は、複雑な気分であった。

You're a cutie pie. ＝あなたって、かわいいわね

返品される使用済みシーツ

大手デパートのメイシーズでシーツを購入するためにレジで並んでいると、すぐ前の中年女性が羽毛布団を買おうとしていた。

その羽毛布団、すてきですね、と私が声をかけた。

おまけにセールよ、とその女の人が答える。

私もそれにすればよかったかな。でももう、通販で注文しちゃったわ。

注文したのをキャンセルしなさいよ。

でももう、発送されてしまったと思うわ。

それなら、返品しなさいよ。

If people can get rid of their employees, you can get rid of their products.

企業が社員をクビにして処分できるんだから、企業の商品だって送り返して処分できるわよ、ということだ。なぜそういう発想が生まれるのか理解しかねるが、言いたいことはよくわかる。もしかしたら、誰かがクビになったばかりなのかもしれない。

それほどアメリカでは、解雇も返品も日常茶飯事だ。大手書店 Barnes & Noble では、いつ購入したものであっても、レシートさえあれば、理由も聞かずに払い戻してくれる。本が車にひかれて、ぐちゃぐちゃになったりしていない限り、オーケーですよ、とある店員は言った。

買ったドレスをパーティで着てから返す人がいるとも聞く。ゲイルは面倒だからと、試着せずに服を買う。家で着てみて気に入らなかったら、レシートを持って返品に行く。

ある家電量販店では、購入後三三日以内なら払い戻してくれる。気に入らないものを押しつければ、結局、客を失うことになるからね、と店員は言う。

ありがたいポリシーだが、逆に言えば、私たちが買っている商品は、返品されたものである可能性が大いにあるということだ。彼によれば、返品された商品のうち、すでに使われた可能性のあるものは、その旨を客に伝えることが法律で義務づけられているという。状態の悪いものは店頭に置かない。

羽毛布団を買ったウィスコンシン州の会社には、アウトレットがある。アウトレットには返品された商品も多い。ほしい商品を電話で問い合わせると、店員が言った。

このシーツは使用済みだわ。洗濯してあるもの。

シーツを少なくとも一度、使い、洗濯し、返品する人がいて、アウトレットとはいえ、それを再び売る会社がある。こうして返品のツケは、誰かに回ってくる。

緑の親指

私たちの結婚式で使ったたくさんの花を、アパートの窓辺という窓辺に飾っておいた。部屋は一階だが、この建物には地下にも窓つきの部屋があるうえ、坂に面しているため、道路から二メートルほどの高さになっている。

キッチンで夕食を作っていると、外から声をかけられたような気がした。ふと見下ろすと、犬を連れた女の人が窓越しにこちらを向いて立っている。

あなたの部屋、花でいっぱいね。とってもきれい。

その女の人が言った。それを言うために、わざわざ声をかけてくれたのだ。

ある日、アパートの前を歩いていると、ジョギング中の女の人が足を止め、声をかけてきた。その人は私の部屋のベランダの方へ私を連れていくと、

ここに住んでいるの、あなたでしょ？　と聞いた。

よくベランダで原稿を書いていたので、きっと顔を覚えていたのだろう。

そうですけど、と答えると、彼女が言った。

私はいつもこの周りをジョギングしているの。あなたのきれいな花を見ると、本当に心がなごむのよ。ありがとう。

前に、取材に行ったオレゴン州の有機農場から種をもらってきて、メロンを育てた時には、大きな黄色い花がたくさん咲いた。赤唐辛子やキュウリも立派に実をつけた。水をやっていると、たまたま外を歩いていた老夫婦が、話しかけてきた。

You have a green thumb. Are you a gardener? 緑の親指を持っている。それは、植物を育てる才がある、ということだ。あなたは園芸家なの？ と彼らは言ったのだ。

こうして通りすがりの人たちから、園芸家と同じ喜びをもらっている。

You have a green thumb.＝植物を育てる才能があるのね

第五章　特別な日には

灰の水曜日

ある日、人々が額《ひたい》に何か黒いものをつけて、集団で歩いているのに出くわした。教会から一斉に出てきたようだった。ニューヨークでは何を目にしても不思議はないが、ハロウィーンでもないのに、いったいどうしたのだろうとしばらく思っていた。

やがて謎が解けた。これは灰で印された十字架だったのだ。

おでこが汚れていますよ。

今でもこの日がくると、思わず、そう声をかけたくなってしまう。

Ash Wednesday.
日本語でも文字どおり、灰の水曜日だ。この日からレント（四旬節、受難節）が始まる。レントとは、キリストの復活を祝う復活祭を迎える準備の時だ。灰の水曜日からイースター（復活祭）までの日曜日を除く四十日間を指す。
イースターの前の日曜日がパーム・サンデー（シュロの日曜日）だ。キリストが死を覚悟してエルサレムに入った日で、民衆は手にシュロ（ヤシ）の葉を持ち、街路にそれを敷いて迎えた。シュロは勝利や喜びの象徴だ。その五日後にキリストは十字架上で処刑された。

　カトリック教徒は、シュロの日曜日の礼拝にシュロを手に持って参加し、それを司祭が聖水で清める。シュロは燃やされ、翌年の灰の水曜日に、司祭がその灰を信者の額につけるのだ。キリストの受難をしのび、回心の印としてである。この灰は洗い落としたりせずに、自然に消えるのを待つ。

　シュロを十字架の形に折り、聖書にはさむ人も多い。

　私はベッドのマットレスの下にシュロを入れておくの。そうすれば、雷が落ちても死なないのよ、とカトリックの友人、ローズマリーは笑う。

　子どもの頃に通っていたカトリックの学校の尼僧に聞いた迷信を信じ、半世紀もの間、実行し続けている。

　でも、いつも、前の年のシュロを取り出すのを忘れちゃうのよね。本当は燃やして灰にしなければならないんだけれど、たまるとビニール袋に入れて、捨てちゃうの。

　一度、マットレスの下から大量に出てきたシュロを、息子たちに見られてね。そうしたら、言われたわ。

　母さん、こんなにあったら、ベッドはふかふかだから、マットレスはいらないね。

Ash Wednesday ＝灰の水曜日

緑を身にまとう

犯罪多発地帯として知られるブロンクスも、北のはずれまで行くと、街は落ち着きを見せる。その一画に、アイルランド系移民の多い〝アイリッシュ・タウン〟がある。

ここではセント・パトリック・デーが近づくと、家々の窓は、緑のクローバーや"Happy St. Patrick's Day"の文字で飾られる。ベーカリーでは、緑のケーキやカップケーキを売っている。

セント・パトリックは、アイルランドにキリスト教をもたらした聖人だ。クローバーはセント・パトリック、さらには民族の象徴である。この聖人が布教した時に、三位一体（神とキリストと聖霊を一体と見る）を説明するために、葉が三つに分かれているのに根元がひとつであるクローバー（シャムロック）を使ったという伝説がある。

三月十七日のセント・パトリック・デーの朝は、五番街にあるセント・パトリック大聖堂で荘厳なミサが行われる。私が行った時にはすでに席はなく、最後まで立っていた。ものすごい混みようだった。アイルランドとアメリカ、両国の国歌を歌い、ミサは大いに盛り上がる。

そのあとで、恒例のパレードが五番街で繰り広げられる。街は緑一色に染まる。アイリッシュでない人も緑色のものを身につける。緑のクローバーのとんがり帽子をかぶり、顔をアイルランド国旗の三色に塗る人もいる。

Today everybody's Irish.

今日はみんな、アイリッシュだよ。

お祭り騒ぎの大好きなニューヨーカーは、みんな、アイリッシュになり切ってしまう。あちこちの街角で祝杯が交わされ、街全体がパブになったかのようだ。

一七六〇年代に始まったといわれるニューヨークのパレードは、マンハッタンの数々の移民のパレードの中でももっとも知られている。十五万人がパレードで行進する。バグパイプ奏者や警官、消防士などに交じって、ニューヨーク市長も盛んに愛想をふりまく。

わざわざアイルランドから見に訪れる人も多い。ダブリンから来たという女の人は、アイルランドよりずっとにぎやかだわ、と大喜びだった。

一八四〇年代後半、アイルランドでジャガイモ飢饉《ききん》が起きた。被害がもっとも大きかったのが四七年だ。

その百五十年目に当たる一九九七年のパレードでは、初めて飢饉で亡くなった人々の冥福を祈り、正午に一分間、黙禱《もくとう》を捧げた。

諸説あって正確な数は不明だが、この飢饉で百万人が餓死。百万〜二百万人以上が海外へ逃れたとも言われる。

当時、イギリスがアイルランドから大量に食糧を運び出したために、これをホロコーストとみなす声も強く、物議をかもしている。

だが、パレードにはそんな重苦しい雰囲気はない。大いに騒いだあと、彼らが行き着くところは、もちろんパブだ。店先まで人があふれているから、すぐにわかる。コンビーフとキャベツの煮込みをさかなに、ギネスビールで祖国に乾杯だ。

Today everybody's Irish.＝今日はみんな、アイリッシュだよ

忘れがたき故郷

三月二五日、ギリシャの独立を記念し、パレードが行われる。五番街は国旗の色、青と白で鮮やかだ。アイルランド系移民のセント・パトリック・デー・パレードに圧倒され、それほど目立たない存在だが、夫はよくこのパレードに行きたがった。

というのも、彼は大学時代に一年間、ギリシャのテサロニキに住んだことがあるからだ。ギリシャ人に出会うと、うれしそうだ。ギリシャ語が話せるし、懐かしい話もできる。

各地の民族衣装を着たギリシャ系アメリカ人が、手を振りながら、通り過ぎる。街頭に並んで旗を振る人々は、知り合いや自分の出身地の集団がやってくると、大歓声をあげる。

I really don't belong here.

私は本当は関係ないんだけど。

この人がどうしても毎年、来たいって言うもんだから。

ギリシャ人の夫と一緒に来ていた、アメリカ人の女の人は言う。

彼女の夫はヤニナという町の出身だ。この町を訪れたことのある私の夫は、ギリシャ語で話し始めた。

ヤニナ、知ってるよ。トルコ時代の建物が多い町だよね。町に湖があって、その湖の真ん中に島があって、そこのレストランではウナギ料理が食えるんだ、と夫が言う。

な、なんだ、お前、ギリシャ語が話せるのか。こりゃ、驚いた。で、おまけに、俺の故郷を知っているのか。いったい、なんで、そんなに詳しいんだ。

アメリカ人でも日本人でも、ギリシャ語が話せる人はあまりいないのだろう。その人の顔は喜びで輝いている。

夫によれば、ギリシャ人は外国人がギリシャ語を話すととても感激するという。自分たちの言葉が世界一難しいと信じていて、それを多少なりともマスターした外国人は、賞賛されるらしい。

おい、おい、おい。この日本人は、ヤニナを知っているぞ。

彼は周りの人たちに叫んでいる。

ああ、友よ。俺の町を、そんなによく知っていてくれて、うれしいよ。

夫はすでに、彼の〝友〟になっている。

I really don't belong here. = 私は本当は関係ないんだけど

ちんぷんかんぷん

このパレードに参加するために、近隣の州から町ぐるみで、貸切観光バスでやってくるギリシャ人も多い。

パレードの主人公は何と言っても子どもたちだ。年に一度のこの日のために、親たちは民族衣装を引っぱり出してくる。まだコートなしでは寒い季節なので、みんな、ぶるぶる震えながら、子どもの出番を待っている。わが子が現れると、親たちは目を細めてギリシャ国旗を振る。

近くの屋台で買ったスブラキの串を手に持っている人も多い。これは、ひと口大の肉を串刺しにして焼いた、ギリシャを代表する料理だ。

パレードを見物する人々の中に、ギリシャの小旗を手に、何かぶつぶつ言っている年輩の男の人がいた。古ぼけた鳥打ち帽とよれよれのコートを身につけている。いかにもギリシャのカフェでぶらぶらしていそうなおじいさんだ。

集団が通るたびに、

ブラボー、エラーザ（ギリシャ万歳）！　とがらがら声で呼びかけている。

夫が英語で話しかけたが、理解できないようだった。ギリシャ語で話すと、じろりとこちらを見た。だが、すぐにパレードに視線を戻し、大声で叫ぶ。

ブラボー、エラーザ!

このおじいさんは、アメリカに移住した子どもに呼び寄せられて、アメリカにやってきたのだろうか。

イースト川をはさんでマンハッタンの東側のクイーンズには、アストリアというギリシャ人街がある。ギリシャの食料品店やレストラン、カフェなどが並ぶ。ここではギリシャ語が飛び交う。

It's all Greek to me.

これは、ちんぷんかんぷんという意味だ。私にとっては、まさにそんな感じだ。

ギリシャ正教の教会や学校などを中心に、コミュニティはまとまっている。カフェでどろどろしたギリシャ・コーヒーを飲みながら、同胞と語らい、ギリシャに思いを馳《は》せている老人をよく見かける。が、孫の代ともなると、ギリシャ語を話さない子も多い。

今日のこの日のパレードから、一瞬たりとも目を離すわけにはいかんのだ。

ギリシャの小旗を振るおじいさんの姿は、そう言っているかのようだった。

It's all Greek to me.＝ちんぷんかんぷんだ

顔は撮らないの？

ある朝、家の玄関の石段に、バスケットが置かれていた。中には、殻がピンクや黄色に染められた卵がいくつかと、ウサギの形のチョコレートなどが入っていた。もう二十年ほど前に、ウィスコンシン州の高校に留学していた時のことだ。

友人のマリー・ジョーから届いたイースターのお祝いだった。多産なウサギ（バニー）と、命の始まりである卵が、その象徴になっている。

子どもたちは卵をさまざまな色に染める。鮮やかな色の卵は、もともと春の日の出をイメージしている。また、公園や庭で、エッグハント（卵狩り）を楽しむ。いろいろなところに隠された卵を、探し当てるのだ。

この日はクリスチャンがもっともおしゃれをする日だといわれる。五番街のイースター・パレードでは、華やかな帽子をかぶり、着飾った女性たちが練り歩く。奇抜な格好をする人も多く、本物のイグアナを肩に乗せてやってくる日本人もいる。パレードというより、ファッション・ショーといった感じだ。観客の注目を浴びなくなると、引き上げていく。

They're in their Sunday best.

人々は晴れ着姿だ。

昔から、教会には晴れ着で出かけたのである。日曜日にはハーレムでも着飾って礼拝に集う黒人家族を見かけるが、イースターは特別だ。最高のおしゃれをして、教会に出かけていく。

ある年のイースターに、ハーレムをぶらぶらしていると、白い帽子に黄色いバラの花とレースで飾られた見事な帽子をかぶっている黒人女性を見かけた。

この時も私は、出版される本のために写真を撮り歩いていた。イメージ写真がほしかった。

とてもすてきな帽子ですね。写真を撮らせてもらえますか。

そう尋ねると、その女の人は少し恥ずかしそうだったが、もちろん、どうぞ、と言ってくれた。バラの花が見えるように、横を向いて立ってもらった。

シャッターを切り続け、十分ほど経っただろうか。

あの、とその人がこちらを向いた。

私の顔は、写真に写らなくていいのかしら?

They're in their Sunday best.＝人々は晴れ着姿だ

家族

私が通う教会では、メンバーなどが機会あるごとにディナーを一緒に楽しむ。礼拝で感謝の祈りを捧げたあと、七、八人ずつ丸テーブルを囲み、教会内のホールで食事をする。

夫とふたりで初めてディナーに参加した時のことだ。すわる場所を求めて辺りを見回していると、私たちに向かって手を振る女の人がいた。ここにすわりなさい、と言うように、自分の隣の席を指差している。それがエバリンだった。

エバリンは友人と一緒に来ていた。両親がノルウェーからアメリカに渡った。両親に続いて十年ほど前に病気で妹を失い、独身の彼女は身寄りがなくなった。彼女と血のつながった人は、アメリカに誰もいない。ノルウェーには従兄弟がいる。アメリカ人として育った彼女にとって、何度か訪れたノルウェーは、郷愁を感じるものの、外国だった。

エバリンは抽象画のアーチストだ。彼女の作品は、マンハッタンのいくつかのオフィスの壁を飾っている。

エバリンと出会って半年ほどたった頃、私はこの教会で洗礼を受けることになった。

Can I be there for you？ とエバリンが聞いてきた。

あなたのために、そこにいてもいい？ 立ち合ってもいいかしら？ ということだ。

私が洗礼を受けた時にも、家族のみんなが立ち合ってくれたから、と彼女は言った。

洗礼を受ける私を見守りながら、エバリンは泣いていた。

私たち夫婦の結婚式にも参列した。

式と披露宴を通して、三度も泣いたわ、と彼女はあとで笑いながら言った。

エバリンは年齢を明かさない。おそらく、六十歳くらいではないかと思う。だが、年齢の差を、私たちはまったく感じていない。

時には礼拝のあとに、ほかの友人を交えて一緒にランチを取り、映画を観たり、展覧会に出かけたりする。時にはお互いに悩みを語り、アドバイスを求め合う。

私たち夫婦が、ある事情で数年、日本に帰ることになったと伝えた時、それまで楽しそうに話していたエバリンが、急に黙り込んだ。そして、私の手を取り、握りしめた。

これを口にしたら、私は泣き出すのがわかっているから、言いたくないんだけど。

少し間を置いて、エバリンは続けた。

あなたたち夫婦は、私の家族なのよ。

エバリンが予想していたとおり、彼女の目から大粒の涙があふれた。

Can I be there for you？＝立ち合ってもいいかしら？

星条旗色の独立記念日

七月四日はアメリカの独立記念日だ。アメリカ人はふつう、July Fourth あるいは the Fourth of July と呼んでいる。

この日は家の前に星条旗を掲げる。数年前の独立記念日にフィラデルフィアに行くと、独立時の十三州を示す十三の星がデザインされた星条旗が、あちこちの家で見られたのが印象的だった。ここは当時、独立宣言が読み上げられた地だ。

ニューヨークでは、ストリートなどの公の場で、アルコール類を飲んではいけないことになっている。ウィスコンシン州でも、人の目に触れないように、外ではビール缶を紙袋に入れて飲んでいる人をよく見かけたが、この日ばかりは警官も大目に見ている。

街は星条旗の赤、白、青の三色に染まる。人々はこの三色や、星条旗模様の服や帽子を身につける。ある年の野外コンサートでは、青いポロシャツに白いショーツの男の人と、赤いポロシャツに白いショーツの女の人が、曲に合わせて踊り、キスを交わしていた。日が暮れると、エンパイアステートビルは、この三色に灯される。

全米各地で花火が打ち上げられるが、やはりニューヨークは盛大だ。自由の女神の百年祭の時には、私はブルックリン・ブリッジの上で花火を見た。ライトアップされた自由の女神を讃えるかのように、その周りに次々に色とりどりの花火の輪が広がる。それを見つめるアメリカ人のまなざしに、この国に対する熱い思いを感じた。

昔、白人たちに土地を奪われたアメリカ・インディアンの中には、今でも複雑な思いでこの日を迎える人たちがいる。日本とアメリカふたつの国にまたがって生活している私は、国に対する思いも半々だ。

だが、祖国を捨てて、アメリカにやってきた移民にとって、この日は特別な意味を持つ。それは新移民も変わらない。昨年の独立記念日の頃、アメリカ市民になったフィリピン人の女性は、そのセレモニーでこう語った。

今朝、右手を胸に当てて国歌を聞き、星条旗に向かって誓約し、アメリカ市民になることを誓いました。大変な名誉であり、感謝の気持ちでいっぱいです。私たち移民は、Founding Fathers（独立直後の米国憲法制定者たち）にお礼を述べなければなりません。

アメリカでは幼稚園の頃から、毎朝、星条旗に向かって立ち、忠誠を誓うところが多い。国歌と国旗、そしてそれに象徴される国家に対するアメリカ人の思いは、私たち一般の日本人には、なかなか理解できないのかもしれない。

July Fourth＝独立記念日（七月四日）

ユダヤの贖罪の日

その朝は、コーヒーポットが空だった。いつもゲイルは、朝一番にコーヒーをいれる。ゲイルはリビングルームでテレビを見ていたので、私もそこに一緒にすわって、朝食を食べた。

コーヒー、いれなかったの？　と聞くと、ゲイルが言った。

I'm fasting today.

今日は断食しているのよ。

そういえば、その日はヨム・キプール（贖罪の日）だった。ユダヤ暦の新年ローシュ・ハシャナ初日から九日目の、もっとも神聖な日だ。人々は断食をし、祈りを捧げる。

まさかゲイルまでが断食をするとは、思わなかった。ゲイルはユダヤ人だが、まったく信心深くない。宗教は愚かだ、というのが口癖だ。

何しろ、贖罪《しょくざい》の日についても、古い罪を許されて、新たな罪を犯し始める日よ、などと言っている。

それにしても私は、無神経にも彼女の目の前で、朝食を食べていた。彼女はいつも朝食を取らない。が、日没まで何も食べられないのだから、辛いだろう。悪いことをした。

ゲイルの両親はポーランドからアメリカに渡ってきた。ふたりは辛いホロコーストの体験を、ゲイルにさえ話そうとしない。母親はポーランドで、クリスチャンの家にかくまわれていた。一家は命をかけて、彼女を守った。

断食の日には日没までの二四時間、一切何も口にしてはいけないため、厳格なユダヤ教徒であるゲイルの父親は歯も磨かない。

その日の日没後、ゲイルの家族は両親の家に集まり、スモークサーモンやクリームチーズにベーグルといった軽い夕食を取って、断食を終える。

When are we breaking fast ?

朝食を取る私の前で、彼女は母親に電話で聞いている。

何時になったら、夕食を食べるの？　ということだろう。

そういえば、そもそも、breakfast は断食を破ることだ。

改めて、その意味を思った。

When are we breaking fast ? ＝何時になったら、断食をやめるの？

窓辺のパンプキン

ハロウィーンの二週間ほど前に、ゲイルと、五歳になる彼女の甥のイーサンと三人で、パンプキンを買いに行った。そこは郊外の大きなスーパーマーケットで、外には何百個もの大小さまざまなパンプキンや、飾りつけに使う干したコーンなどが、無造作に置かれている。リンゴも大きな袋に入って売られており、秋を感じさせる。

まん丸で形がよくて、ヘタの長いのを選んでね。これはどう？　完璧な形よ、とゲイルがイーサンに言う。

だが、イーサンはどれも気に入らない。

No. I hate that. I don't want that. That's not what I want.

やだよ。そんなの大きらいだよ。そんなのほしくないよ。ぼくがほしいのは、そんなのじゃないよ、と、言いながら、延々とパンプキンの周りを歩き続ける。彼には彼なりの基準があるのだ。

一時間も費やしただろうか（気の短い私はもちろん、ふらふらほかをのぞいて楽しんでいた）。おじいちゃんとおばあちゃんにひとつ、自分用にふたつと、大きなパンプキンを三つ選んだ。

イーサンと私は待ち切れず、さっそく彼の家でひとつ、目と鼻と口をくり抜くことにした。私は十四年もアメリカに住みながら、jack-o'-lantern（カボチャちょうちん）を作ったことがない。

自然に役割分担ができた。私がパンプキンをくり抜き、中身をほじくり出す。ゲイルはその中から種を拾い、塩を振りかけ、オーブンで焼く。そしてイーサンは、ホウキとチリトリを持ってきて、私たちが汚した床をせっせと掃除している。

Hey, you guys.

もうこれ以上、汚さないでよ、とイーサンが私たちに命令する。

このyou guysを子どもが大人に向かって口にするのを聞くたびに、アメリカだなと思う。guysは女の人への呼びかけにも使われるが、もともと、やっとか男という意味で、Hey, you guys！は、やあみんな、ちょっと君たち、といった感じだろうか。

最後に、くり抜いたパンプキンの中に白いロウソクを立て、火を灯した。かなり不気味で、みんな、大満足だ。からっとローストされた種も、塩がきいていておいしい。

ねえ、ダディ。パンプキンを窓のところに置いていい？

リビングルームでテレビを見ている父親に、イーサンはしきりに頼んでいるが、願いは聞き入れられない。

Hey, buddy！ ハロウィーンは一週間先だから、まだ早いよ、と父親は言う。

イーサンがHey, guys！なら、父親はHey, buddy！だ。

buddyは相棒のような意味で、Hey, buddy！も、おい、という呼びかけだ。

だって、外から見た人がびっくりしておもしろいよ、とイーサンは説得に必死だ。

そうだ、そうだ、と私も密かに応援するが、それでも許可は下りず、不気味なパンプキンは人目に触れないキッチンに、ひっそり置かれたままだ。

長く窓辺に置けば、それだけ長く楽しめるのに。ああ、もったいない。大人の考えることはまったくわからない。

Hey, you guys.

イーサンにこう声をかけられて、抵抗を感じるまでもないようだ。どうやら、私の精神年齢はイーサンと同じらしい。

Hey, you guys.＝ちょっと、君たち

スープをするドラキュラ

頭から足の先まで、体中を包帯でぐるぐる巻きにされた女の子が、両親に手を引かれて歩いてくる。アッパー・ウエストサイドの閑静な住宅地だ。

That's spooky!

人々は思わず、振り返る。

ひと足先に、今年もハロウィーンがやってきた。

気味悪い！　と思わず叫びたくなるお化けが、街をさまよっている。

ゲイルはハロウィーン直前の金曜日に、服はもちろん、マニキュアまで、パンプキン・カラーのオレンジに統一し、仕事に出かけていった。

ハロウィーン当日は、ダウンタウンで名物の仮装行列が行われ、マンハッタン全体がお化け屋敷と化す。

仮装行列をしっかり見たことがなかったので、今年こそは雰囲気を味わおうと、パープルずくめで出かけていった。それでも、パープルのカツラをかぶって街を歩き、地下鉄に乗る勇気はなく、目的地に着いたらかぶろうと、バッグに入れた。

人出は予想以上だった。ほとんど動けない状態で、何も見えず、群集の叫び声から興奮が伝わってくるだけだ。

楽しいのは、仮装行列より、そのあとだ。彼らはそのままの姿で日常に戻る。顔を真っ白に塗ったピエロが地下鉄に乗り、大きなパンプキンのお化けがスーパーマーケットでトイレットペーパーを買っている。

レストランでは、ドラキュラ（人間）が黒ずくめの魔女（人形）をひざに抱いて、スープをすすっている。街角で、血のしたたる斧《おの》を手にした死神が、ホットドッグにかぶりついている。

だいたい、仮装行列では、仮装とわかり切っているのだから、意外性がないではないか。両親に手を引かれた、あのミイラの女の子のように、ごく日常の世界にふっと現れるから spooky なのだ。

そう自分に納得させながらも、出番のなかったカツラがなんだか哀れだ。仮装行列ならまだしも、パープルのカツラをかぶってひとり日常に戻る勇気はない。せめても、とバッグから取り出したカツラを手に、とぼとぼ家路についた。

That's spooky！＝気味悪い！

七面鳥はもうたくさん

紅葉が終わり、本格的に寒くなり始める頃、サンクスギビング（感謝祭）を迎える。毎年、十一月の第四木曜日だ。一六二〇年にメイフラワー号でイギリスからやってきた移民たちが、最初の収穫を神に感謝し、祝ったことが始まりとされている。

この頃になると、スーパーマーケットには巨大なターキー（七面鳥）が丸ごと並び、遠く離れている家族も一緒に食卓を囲んで、ターキーの丸焼きやカボチャのパイなどのディナーを楽しむ。

ターキーやチキンなどの胸の叉骨《さこつ》は、wishboneと呼ばれる。ディナーのあとで、ふたりが骨の先を片方ずつ持ち、引っ張り合う遊びをする家庭も多い。長い方を取った人の願いがかなえられる、という言い伝えがある。

どの国からの移民も、感謝の気持ちでこの日を祝う。出身国や人種によって、ターキーの味つけは微妙に違う。

私の知り合いの会社経営者は、社員全員にターキーを一羽ずつプレゼントする。企業によっては、社員が缶詰や乾物などを慈善団体に寄付するFood Driveという運動を行っている。サンクスギビングの前日に、ある会社の代表番号に電話を入れると、待っている間にこんな録音メッセージが流れた。

社員の皆様、家族とサンクスギビングを楽しんでください。

日本人の中には、ターキーは肉がパサパサしているので、好きではない人も多いが、あの迫力のあるターキーの丸焼きなしのサンクスギビングは、やはりさみしい。

しかし、巨大なターキーは一日では食べ切れない。おせち料理のように、何日間かは食卓がターキーづくしとなる。ターキー・サンドイッチ、ターキー・サラダ、日本人の友人宅ではターキー入り素麵《そうめん》までごちそうになった。サンクスギビングから四日後の今日も、私の冷蔵庫にはターキーが入っている。

Enough is enough.

来年の今頃までは、もうたくさん、という感じである。

たった今、ラジオからこんなメッセージが流れてきた。

I hope you've recovered from Turkey eating.

皆さんが、ターキーの食べすぎから、回復していますように。

思いはみんな、同じようだ。

Enough is enough.＝もうたくさん

心残り

大学院時代、ユダヤ人の友人デボラに、サンクスギビングは両親の家に来ないかと誘われた。家族が全員集まるという。

You'll fit right in.

あなたはすぐに家族に溶け込むわよ、とデボラが言う。

ふたりで一時間ほど電車に乗り、両親の家に行った。朝から母親が何時間もかけて焼いている、ターキーのおいしそうなにおいが漂ってくる。

私たちは会話と食事を楽しんでいた。そこにただひとり、何も言わずにテーブルにすわっている男の人がいた。

デボラも家族も、私に彼を紹介しなかった。そのうちに、デボラの弟だということがわかった。弟は知的障害者だった。

その夜、デボラと私は、両親の家に泊まった。デボラが以前、使っていた部屋に、一緒に寝た。

私はデボラの弟について尋ねた。

かなり前から施設に入っているの。いつもサンクスギビングやハヌカ（ユダヤ教の神殿清めの祭）は、この家に戻ってきて、家族と一緒に過ごすのよ、とデボラは言った。

次の朝、私たちより早く、弟は家を出ていった。

少なくとも、私の前で、家族と彼の間で会話らしい会話はなかった。一緒にサンクスギビングを祝い、施設での日常に戻っていった。

会えて、とてもうれしいわ。

その頃の私は、彼にありきたりの挨拶しかできなかった。

ハヌカにはまた、生まれ育った家に戻ってくるのだろう。弟は家族とのひと時を楽しんだのだろうか。

デボラの言葉どおり、前の晩、私はまるで家族の一員であるかのように、すっかり溶け込んで話していた。

弟の場所を奪ってしまったのではないか。

そんな思いが、しばらく私の胸に引っかかっていた。

You'll fit right in.＝あなたはすぐに溶け込むわよ

ハレルヤ！

サンクスギビングに、サウス・ブロンクスの教会に行った。この辺りは犯罪多発地帯として悪名高い。午前九時半、礼拝堂にはすでに二十人ほどが集まり、静かに祈っている。祭壇の前の床にも数人がひざまずき、祈りを捧げている。

最後列に男の人が三人すわり、祈っていた。やがて別の男の人がやってきて、三人を後ろから抱え込むようにして、一緒に祈り始めた。

彼らはみんな、長いことホームレスだった。お金が手に入れば、ドラッグをやった。クッキーやリンゴを買って、腹の足しにしていた。この教会に出会い、メンバーがアパートを探してくれた。

やがて礼拝堂はいっぱいになった。礼拝は延々と二時間続いた。牧師の説教のところどころで、人々が両手を高く掲げ、ハレルヤ！　アーメン！　と大声で叫ぶ。歌い、踊り、体中で神を賛美する。

傷ついた者たちよ。前に来なさい。

牧師がそう呼びかけると、人々が前に集まってくる。牧師が祈りながら額に触れると、彼らは崩れるように床に倒れる。体が震え出す人もいる。肩を抱き、泣き合う姿が、あちこちに見られる。

女性教会員がホームレスの男の人の隣にすわり、肩や頭を優しくなでている。完全に目のすわったその男の人は、彼女の手が頭に触れるたびに、意識を取り戻したかのように目を開け、彼女が開いた聖書のページに目をやる。

礼拝のあと、メンバーらが外を歩き回り、道をうろつく人たちに、サンクスギビングのディナーに来ませんか、と呼びかける。この辺りにはドラッグ・ディーラーもたむろしている。ホームレスの人たちのために、メンバーが手分けして、八十羽のターキーを焼き、ピラフを作り、テーブルを用意し、給仕しているのだ。

しばらくすると、教会の前には長蛇の列ができた。

並んでいるホームレスの男の人が、仕事でカメラを持っていた私に声をかけてきた。

俺の写真を撮ってくれよ。今日、この場にいたことの証拠にさ。来年はここにはいないように、頑張るからよ。

You never know.

どうなるかは、誰にもわからない。ひょっとしたら、来年のサンクスギビングには、彼はホームレスを迎える側にいるかもしれない。

You never know.＝どうなるかは、誰にもわからない

ニューヨークはもういいわ

サンクスギビングの日には、朝早くから大手デパート、メイシーズ主催のパレードが行われる。そのために、前夜にセントラルパークで、いくつもの巨大な漫画のキャラクターの人形に空気が入れられる。それを見に訪れる家族連れも多い。

パレードには全国からマーチング・バンドなどが集まるが、漫画のキャラクターのバルーンを持ったり、背の高いピエロに扮《ふん》して踊ったりしながら行進するのは、メイシーズの社員かその家族や友人たちだ。終着地点のメイシーズ前のヘラルド・スクエアでは、ブロードウエーのキャストなどが踊りと歌のショーを繰り広げる。

パレードの〝とり〟は、いつもサンタクロースだ。何頭ものトナカイが引っぱるソリに乗り、堂々と現れる。こうして、マンハッタンのクリスマス・シーズンが幕を開けることになる。

翌朝から週末にかけて、あらゆる店で大セールが行われ、人々がクリスマス・ショッピングに殺到する。店によっては朝六時から営業し、開店前から客が列を作っている。大手デパートは、朝七時から夜十時頃までにぎわう。

夜七時頃になると、メイシーズの前には観光バスがずらりと並ぶ。メリーランド州ボルティモアやペンシルベニア州ランカスターなどから、観光や買い物で一日、ニューヨークを訪れた人々が、帰っていくのだ。

観光バスが出発する一時間近く前から、そこで待っていた六十代の女性がいた。子どもや孫たちと真夜中にピッツバーグを発ち、朝七時にニューヨークに着いた。

どこへ行っても、人、人、人。自由の女神もエンパイアステートビルも長蛇の列で、中に入ることもできなかったわ。デパートもすごい人で、ゆっくりできたのは、セントラルパークくらいよ。ニューヨーク、ニューヨークって言うけれど、ここにあるものは何だって、私の街にもあるわ。そりゃあ、規模は違うけれど、生まれ育ったピッツバーグが、私はやっぱり好きだわ。

I'm ready to go home.

ニューヨークはもういいわ。早く家に帰りたい。

ピッツバーグへ彼女を乗せて帰るバスが、なかなかやってこないので、そわそわし始めた。ようやくバスを見つけると、彼女は急ぎ足で乗り込んでいった。

ピッツバーグに着くのは、夜中の二時だと言っていた。愛するわが街に向かうバスに揺られ、今頃、彼女は夢でも見ながら、ぐっすり眠っていることだろう。

I'm ready to go home. =早く家に帰りたい

ユダヤ教vsイスラム教

十二月に入ると、家やアパートの窓辺に燭台《しょくだい》が飾られる。これはユダヤ教のハヌカのお祝いのためだ。

ハヌカは紀元前一六〇年代半ばに、ユダヤ人が大国シリアから宗教の自由を勝ち得たことを祝う祭日だ。当時、シリアの占領軍はユダヤ教の勉強や祭りを禁止し、神殿にゼウス像をまつった。これに対し、ユダヤ人は結集して抵抗し、ついに勝利を収めた。ユダヤ人は神殿を清めた。この時、神殿のランプの油は一日分しかなかったのに、奇跡的に八日間、燃え続けたのである。彼らはこの八日間を「神殿清めの祭」として祝うことにした。

このため、八日間、ロウソクを灯して祝う。燭台にはロウソクが九本立っている。真ん中の一本は八日間、ずっと灯される。一日一本ずつ、八日目にはすべてのロウソクに火がつけられる。以前はロウソクではなく、油が使われていた。

この祭りはユダヤ教の暦によるが、毎年、クリスマスの頃と時期が重なる。ニューヨークにはユダヤ人が多い。アパートのロビーには、クリスマスツリーやリースとともに、ハヌカのためにこの燭台が置かれているところも目立つ。

ホリデーの挨拶も、相手がユダヤ人ならMerry Christmas. ではなく、Happy Hanukkah. になる。わからなければ、Happy Holidays. が無難だ。

昨年、友人がトルコ人とユダヤ人にはさまれて、タクシーに乗っていた。

あのハヌカって祭りの起源は、いったい何だ、とトルコ人がユダヤ人に尋ねた。

あれはな、昔、悪い奴らが攻めてきて、神殿を汚してしまったんだ。そのあとで、勇敢な人々が……、とユダヤ人が説明を始めた。

そうか。その悪い奴らっていうのは、誰だ。イスラム教徒か、とトルコ人が聞いた。

彼はもちろん、イスラム教徒だ。

たぶん、そうだろう、とユダヤ人がうなずく。

それはいつの話だ？　紀元前じゃないのか。

……そうか。イスラム教徒じゃないな。

お前らは、何かあると、すぐイスラム教徒を悪者にするからな。

アメリカではイスラム教徒が急増しているが、何かというとテロリストと結びつけられ、悪いイメージを持たれがちだ。

笑えそうで、笑えない話だ。

Happy Holidays.＝ハッピー・ホリデー

ロックフェラーセンターのメリークリスマス

世界でもっとも有名な、ロックフェラーセンターのクリスマスツリーが、十二月上旬に点灯される。仮設ステージやスケートリンクではショーが繰り広げられ、「聖夜（きよしこの夜）」などのクリスマスソングが歌われる。

窓からツリーが見えるオフィスでは、パーティが開かれる。約一か月間、朝五時半から夜十一時半まで、クリスマスの日は二四時間、点灯される。毎日、二五万人がツリーを見に訪れるという。第二次世界大戦中は、節電のため、点灯が許されなかった。

私が点灯の瞬間を初めてこの目で見たのは、もう十年も前だ。ある企業のオフィスの窓からだった。ワインやシャンペンを片手に、おしゃべりに花を咲かせていたが、点灯まぎわになると、カウントダウンが始まった。

外で見たければ、かなり早く行って場所取りをしなければならない。身を切るような寒さの中、流感がはやっていても、人々は元気に出かけていく。

昨年、そのつもりはなかったのに、当日の夜になると、急に見に行きたくなった。点灯は夜九時前だ。ゲイルが言う。

私も一度だけ行ったけれど、人生で最悪の体験だったわ。すごい人で身動きできず、何も見えず、何も聞こえず、見えたのはツリーのてっぺんだけ。それが突然、明るくなったと思ったら、やっと身動きできるようになって、ああ点灯したの、って感じね。

その夜、点灯はテレビで見ることにしたのは、言うまでもない。

ツリーはもちろん本物で、毎年、誰かによって寄付される。昨年（一九九九年）は二〇〇〇年を記念して、樹齢百年のものが選ばれた。最大級のツリーで、高さ百フィート（約三十メートル）、重さ七トン、電球の数は三万個だ。枝ぶりも完璧に近い。ヘリコプターを使ったツリー探しは、半年も前から始まった。コネティカット州の地元の人たちや報道人に見守られる中、ツリーは切り倒され、フェリーでマンハッタンまで運ばれた。ようやくカウントダウンが始まり、ツリー全体が無数の星のように輝いた。

メリークリスマス、とゲイルが叫ぶ。

メリークリスマス、と私が応える。

ゲイル、ユダヤ人だったわよね？

So？

敬虔《けいけん》なユダヤ教徒でない限り、やはりクリスマスはアメリカ人にとって大きなお祝いなのだ。

So？＝だから、何だっていうの？

ポテト・パンケーキ

ハヌカの初日の夜、ユダヤ人は家族や親しい友人と食卓を囲む。この日、ニューヨーク郊外に住むゲイルの両親の家に呼ばれた。

集まったのは家族や親戚十一人。まず父親のマックスがヘブライ語で祈りを読み上げると、全員がアーメンと言う。

料理はすべて、母親のローズが二日かけてひとりで作った。ローズがテーブルに着く暇もなく、一品ずつ運んでくる食事を、ワインを飲みながら、次々にご馳走《ちそう》になる。ゲフィルタ・フィッシュと呼ばれる魚のすり身で作られた、つみれのようなもの、チキン・スープにクラッカーのようなものを丸めた団子の入ったマッツォ・ボール・スープ、サーモン、ブロッコリー。

すでにお腹はいっぱいなのに、キッチンから香ばしい匂いがしてくる。これがポテトで作られたラトケスと呼ばれるパンケーキだ。八日間、燃え続けた〝奇跡の油〟をいつまでも忘れないように、感謝の意を込めて、油を使ってパンケーキを焼くようになったといわれる。

ローズがフライパンにたっぷり油を敷いて、ひとつひとつ焼いている。これにアップルソースをかけて食べるのだが、ゲイルと私だけはケチャップをつける。

最後は、これも手作りのアップル・デニッシュとブルーベリー・デニッシュに、コーヒーだ。

お母さん、これ、おいしい！　最高だよ！　と口々にみんな、声をかける。

そうかい？　よかった。おいしいかどうか、心配してたんだよ、とローズはうれしそうだ。

食べすぎて苦しくなり始めると、みんなの言葉かけがだんだん少なくなる。ローズは不安そうに、みんなに聞く。

どうだい？　おいしいかい？　サーモン、好きじゃないのかい？　ブロッコリーも食べなきゃだめだよ。

動けないほどの満腹で、家路に着いた。

翌朝、ゲイルと私は同じことを口走る。

I'm already hungry for potato pancakes.

もう、ポテト・パンケーキが食べたくなったわ。

I'm already hungry for potato pancakes.＝もう、ポテト・パンケーキが食べたくなったわ

バンドエイドの縁《えん》

ニューヨークからポーランドのカレンダーが送られてきたよ。差出人は聞いたことのない名前だけど。

日本にいる夫からニューヨークの私に、こんなEメールが送られてきた。名前はもう覚えていないが、四か月前に地下鉄のホームで出会ったポーランド人女性を思い出した。

地下鉄のホームで行き先を確かめていると、どこに行きたいの？　と、三十代くらいの白人女性が話しかけてきた。行き先を告げると、このホームで間違いないわよ、と彼女は言った。

私たちは同じ電車に乗った。乗換駅に着くと、あなたもここで降りるのよ、と彼女が私に声をかけ、一緒に電車を降りた。

お礼を言い、その人の後ろから階段を上がっていると、彼女の足のかかとが靴ずれで赤くなっていて、痛そうだった。彼女は私と同じ電車に乗るらしい。

足が痛そうね。そう言って、私はバッグからバンドエイドを出して、渡した。

ありがと。安い靴を買うと、こういうことになるのよね。

彼女の英語にはなまりがあった。ポーランドからひとりで観光に来た。すぐに戻るつもりだったのに、もう十年になる。よくあるパターンだ。

独身だから、別にポーランドに留まっている理由もないしね。

ポーランドについて、日本について、ニューヨークについて、私たちは語り合った。

彼女が降りる駅に着いた。

あなたの降りる駅よ、と私が言った。

いいわよ。次の駅で折り返すから。彼女はそのまま話し続けた。

結局、彼女は私の駅で一緒に降りた。四駅戻り、そこにとめてある車で自宅に帰っていった。

今度、日本のあなたの住所に、ポーランドについて何か情報を送ってあげるわ。どんな国か、イメージがつかめるようにね。別れぎわに、彼女はそう言った。

そのまま、忘れていた。

It was kind of her to think of me at Christmas.

彼女はクリスマスに、私を思い出してくれたのだ。

It was kind of her to think of me at Christmas.
＝彼女はクリスマスに、私を思い出してくれたのだ

礼拝に集う動物たち

マリアは月が満ちて、初子を産み、布にくるんで、飼葉おけの中に寝かせた……。

Bowwow！

ワンワン！

牧師が延々と読み上げる聖句に律儀にあいづちを打つのは、教会の通路に並んだ犬たちだ。前のベンチの背に前足をかけ、祈りを捧げる犬もいる。あきてくると退屈しのぎに、ほかの犬にけんかをふっかけたりする。

おそろいの黒いコートを着たカップルかと思えば、金髪女性の隣で静かにすわって説教を聞いていたのは、巨大な黒い犬だった。

ようこそ、人間の皆様、そして四本足の皆様、と牧師がすべての生き物を歓迎する。

マンハッタンのパーク街のこの教会では、クリスマス・イブに動物たちのために祝福の礼拝が行われる。イエスが生まれた時、まずそこにいたのは、動物たちだった。宿には空室がなかったので、動物は自分たちの厩《うまや》を提供した。

説教と賛美歌のあとで、動物たちは飼い主に連れられ、一匹ずつ祭壇の前で祝福を受ける。肩に乗ったトカゲや、トナカイの角をつけたグレーハウンド犬、白い羽をつけた天使のヨークシャテリア犬、モルモット、サルの縫いぐるみなどが次々に現れる。

God bless you. Merry Christmas. Thank you for coming.

神のお恵みがありますように。メリークリスマス。来てくれて、ありがとう。

牧師は一匹ずつ、頭や体をなで、やさしく話しかける。

中年の男の人が、小さな縫いぐるみの犬を持ってやってきた。

生後七週間のゴールデン・リトリバーの代わりなんです。まだ予防注射を受けていなくて、外に出られないから、と飼い主が言う。

祭壇の横では、白いスカートをはいた犬が、逆立ちの芸を披露している。

だが、この程度で驚いてはいけない。

世界最大のゴシック様式の聖堂、セント・ジョン・ザ・ディバイン大聖堂でも、十月第一日曜日に同じように動物が祝福を受ける。この日は動物と環境の聖人、フランチェスコの祭りだ。聖フランチェスコはイタリア中部のアッシジで生まれ、フランシスコ修道会を設立した。愛と清貧に生き、自然や動物を愛し、小鳥にも説教したといわれている。

この大聖堂には数年前、ニューヨーク市警の警官が、パトロール用の馬を連れてやってきた。ここには、象や牛、ラクダも現れるのだ。

Bowwow！＝ワンワン！

クリスマスだから

私は最近、大失敗を犯した。あまりに最近のことなので、そのことについて書くのも胸が痛い。

ある仕事関係者から、締切を予定より早めてもらえないかというEメールがクリスマス・イブに届いた。前に一度、無理だと断わったが、とても困っているらしく、再度の相談だった。

お世話になっているので、なんとかしたかったが、ほかの仕事との兼ね合いで、不可能に近かった。パニック状態で、「もう、メリークリスマスどころじゃ、ないわ!」と、愚痴っぽいEメールを日本にいる夫に送った。

と、思い込んでいた。ところが、私は気が動転していたのだろう。うっかりそれを、その仕事関係者本人にEメールしてしまったのだ。

あわてふためき、私はアメリカのインターネットのプロバイダーに電話をかけた。週末にさしかかるので、彼女がそれを目にするまでに数日ある。

Is there anything you can do about it?

なんとかならないですか？　と泣きつく私に、

No, there's nothing we can do about it. Sorry.

いえ、なんともならないですね、残念ですが、とつれない返事が返ってきた。

できることと言えば、その人にお詫びのEメールをすぐに送ることでしょう。

そんなこと、もうとっくにしました。

そうですか。

もう、一巻の終わりだ。これだからインターネットなどというのは、便利なようで不便なのだ。

でも、と電話の相手が言う。

Yes？と私は期待に胸が高鳴り、受話器を握る手に思わず力が入る。

It's Christmas.

クリスマスですよ。

電話の向こうで、彼が言う。

だから、その人も許してくれるでしょう。

あるテレビ局の取材で、全米を回った時のことを思い出した。撮影機材が規定のサイズより大きかったり、荷物の量が多かったりで、利用する航空会社のカウンターの女性に、数百ドルという追加料金を払わなければならないと言われた。彼女は奥の方で誰かと話をし、しばらくして戻ってきた。

こちらも覚悟し、払おうと思っていると、

It's Christmas.

女性はそう言って微笑み、特別に見逃してくれたのだ。

私はすぐに、先の日本の仕事関係者にお詫びの電話をし、ひたすら謝った。

It's Christmas.

この思いが伝われば、と祈るばかりであった。

It's Christmas.＝クリスマスですよ

サンタへの手紙

Santa Claus, North Pole, New York
ニューヨークの北極のサンタクロースへ

クリスマス前になると、マンハッタンの中央郵便局には、宛名にこう書かれたカードや手紙が山ほど送られてくる。ニューヨークばかりか、全米、全世界から、貧しい子どもたちがクリスマスに届けてほしいものを書いて、サンタに送ってくるのだ。

これらの手紙に応えようという人たちが、十二月上旬からクリスマス・イブ頃まで、郵便局に足を運ぶ。昼休みにスーツ姿でやってくるビジネスマンやビジネスウーマンも多い。郊外のコネティカット州やニュージャージー州からも訪れる。

これは、Operation Santa Claus というプログラムだ。今から七十年ほど前、郵便局に舞い込んでくる貧しい子どもたちのサンタ宛の手紙に、ニューヨーク市の郵便局員が、自分たちのお金で食べ物やおもちゃを買って応えていたことから始まった。しかし、局員だけの手には負えなくなり、やがて一般の人たちも参加するようになった。

これとは別に送られてくる寄付金は、郵便局が恵まれない子どもたちのためにクリスマス・パーティを開いたり、下着、帽子、マフラーなどの必需品を買ったりするのに使われている。

いつか私がこの郵便局を訪れた時、三十代くらいの男の人が、手紙を読みに来ていた。彼は自分と同じ町に住んでいる家族の願いをかなえてあげることにした。

その手紙の主は、六歳と三歳のふたりの子どもを抱え、生活保護を受けているシングルマザーだ。

どんな援助も感謝いたします、と手紙に書かれていた。

なまりの強い英語で話すこの男の人は、ペルーからの移民だった。靴の製造工場で働いている。

年末にもらったボーナスで、何か買おうと思って、と微笑む。

I want to deliver it in person.

プレゼントを郵送するのではなく、自分の手で子どもたちに届けてあげたい、と彼は言う。

そうすることで喜びは、どちらにとっても数倍になる。

I want to deliver it in person.＝自分の手で届けてあげたい

願いよ、かなえ

今では、中央郵便局のサンタ宛に届く手紙は二十万通を超える。多くの人がここに足を運んで、子どもたちに愛とプレゼントを届けた。

Dear Santa,
この手紙は四歳の弟のために書いています。ボクには十一歳の弟もいて、ボクはいくつかというと、十五歳です。お母さんは一番下の弟にいろんなものを買ってあげたいんだけど、高すぎるんです。生活保護を受けているけど、ボクたち三人もいるから、お金がないんです。ボクの手紙に応えてくれたらうれしいです。ありがとう！

Dear Santa,
今年、物乞いをしなければならないことを、お許しください。でも、ほかに道がないのです。今年はとても厳しい年でした。ふたりの息子に、何もおもちゃを買ってあげられないんです。六歳と八歳です。ふたりの子どもが喜ぶ顔を見たいと思ってくだされば……。ありがとうございます。

Dear Santa,

元気ですか。ボク？　んーボクはあんまり元気ではありません。泥棒に入られて、みんな持ってかれちゃったからです。テレビもです。なんでいつも、ボクのうちに、いやなことが起きるのかな。

去年はパパが死んじゃったんです。で、今年はうちの犬が殺されちゃって、悪い人たちがボクんちに泥棒に入ったんです。ボクは学校でちゃんと勉強してます。先生とかママに聞いてもいいです。クリスマスにはオーブントースターと、時計つきのラジオをうちに、それからコーヒーポットをママに買ってください。ボクは十歳で、お姉ちゃんがふたりいます。

ありがとう。

神様のお恵みがありますように。アイ・ラブ・ユー。

それでも、サンタ宛の手紙は、すべて応えてもらえるわけではない。このプログラムの最終日。十個ほどのダンボール箱に残った手紙は、もう誰に読まれることもなく、捨てられてしまうのだ。子どもたちは今も、サンタが訪れる日を心待ちにしているのだろう。

そしてその中には、こんな手紙もある。

Dear Santa,
かなえてほしいお願いは、たったひとつです。
お父さんに会わせてください。

父親は、家族を捨てて家を出ていった。

May her wish come true.
この子の願いが、かないますように。

May her wish come true.＝この子の願いがかないますように

第六章　ちょっと切ないニューヨーク

NYへお帰り

四週間ぶりに、東京からニューヨークのアパートに戻った。玄関を開けると、リビングルームのカーテンが風で揺れている。猫のアッシュレー以外には誰もいないはずなのに、窓が開いている。ふと見ると、キッチンのテーブルの上にメモが置かれていた。

Welcome home
We missed you—especially Ashley.
There is half a roasted chicken (1/2)
and green salad (+tom) for a cold supper + milk & oj in frig.
XOXOXOXO
Love, J & R

おかえりなさい
あなたたちがいなくて、さみしかったわ、とくにアッシュレーが、ね。

夕食用に、ローストチキン半分とグリーンサラダ（トマトも）があります。
それと、ミルクとオレンジジュースが冷蔵庫に。

たくさんのキスとハグを
愛をこめて、ジャックとローズマリーより

Xはキス。Oはハグ、抱きしめること。XOXOXOXOは、キスとハグをたくさん、という意味だ。ローズマリーは時々、手紙の最後に、こう書き込む。

ジャックとローズマリーは、同じ建物に住んでいる六十代の夫婦だ。留守の間、毎朝毎晩、私たちのアパートに来て、猫と鉢植えの世話をしてくれた。

アパートはケネディ空港からタクシーで三十分もかからない。ニューヨークに着く飛行機の時間に合わせて、私たちが戻る直前に、空気を入れ替えるために窓を開けておいてくれたのだ。そして、十四時間の空の旅で疲れていると思ったのだろう、すぐに食べられるように、すべてが用意されていた。

Welcome home….

ニューヨークはもうすっかり、私たちの故郷になった。

×○×○×○×○＝たくさんのキスとハグを

二五セント硬貨

クォーター（二五セント）が必要なんだよ。

電話をかけようと、公衆電話の前でバッグの中のテレフォンカードを探していると、高齢の男の人が私の脇に立って、つぶやいている。

昔はダイム（十セント）だったのになあ。

私が探し続けていると、君にクォーターをあげられればなあ。今、持ち合わせがないんだよなあ、と彼はしゃべり続けている。

いえ、大丈夫ですから、と私が答える。

カードを見つけ、友人に電話した。その間、男の人はずっとそばに立っている。

うまく話ができたかい？　君はどこの国から来たんだ？

日本です。

日本、か、と彼が言う。

どの航空会社で？

ユナイテッドです。

ユナイテッド、か。

What brought you here？

なぜ、ここに来たんだい。

仕事で来ている、と私が答えた。

仕事？　輸入、それとも輸出かい？

いえ、ジャーナリストです。

ジャーナリスト、か。

本を書いていると知ると、本屋で買えるのかい、と聞いてきた。

英語では出版されませんから、と私が言う。

それじゃあ、タイトルがわからないなあ。

それじゃあ、タイトルがわからないなあ、と彼が繰り返す。

君のために翻訳してくれる人を、探してやらなきゃなあ。

君のために翻訳してくれる人を、探してやらなきゃなあ、ともう一度言い、真剣に考え込んでいる。

そうか、君は友だちのところに泊まっているのか。僕のところで食事をしていってもらってもいいんだが、友だちのところなら、食事に困ることもないなあ。そうか、君は東京から来たのか。

彼はぶつぶつつぶやくたびに、去っていくのかと思うと、すぐ先の郵便ポストまで歩いていき、また戻ってくる。

仕事で来ているんなら、何も僕がクォーターをやることもないなあ。

私が別れを告げると、彼は地面に落ちている新聞を一枚拾い上げた。そして、目の前の紺色の郵便ポストの上に広げると、それをむさぼるように読み始めた。

What brought you here？＝なぜ、ここに来たんだい

精神科病棟から届いたカード

親しくしている人が精神科に入院したと、友人から聞いた。その女性はオハイオ州に住んでいて、もう、十五年来のつき合いになる。私より二十歳ほど年上だが、今ではお互いにかなり個人的なことも打ち明ける仲だ。彼女は二年前に夫を癌で亡くし、それ以来、孤独と闘っていた。

入院中の彼女にカードを送ると、一か月以上も早くハロウィーン・カードが届いた。木の実を接写した写真が同封されていて、裏に「病院の庭で撮ったもの」と書き添えられている。彼女が、癒《いや》しの時を過ごしていることを感じた。

退院するので電話ください。近況をぜひ、聞きたいわ、とカードに書かれていた。カードが届いた翌日に、退院することになっていた。電話をかけると、彼女はこれまでの自分の心の動きを話し始めた。

十日間もずっと家にこもっていたりしたわ。友だちと外出する約束をしても、外に出たくなくなって、当日キャンセルしてしまうの。

一時期、私もそういう精神状態に陥ったことがあったわ、と私が言った。

そう。じゃ、私の気持ちがわかるわね。

ええ。今だって、仕事ばかりしていると、ぐっと落ち込むことがあるわ。

よくよく話を聞くと、精神科病棟に入院したことのある人は多い。アパートのペンキを塗ってくれたというゲイルの男友だちも、毎週末、彼女に電話をかけてくる女友だちも、私の知り合いの息子の前妻もそうだ。

I'm on prozac.

プロザックを服用しているの、と電話口で彼女が言う。

一九九〇年代以降、アメリカで広く普及しているSSRI型（選択的セロトニン再取り込み阻害）抗うつ薬の一つだ。

あなたも飲んでみたらどう？　よく効くわよ。おかげで今、とても落ち着いているわ。一生、この薬を飲み続けなければならなくなったとしても、かまわないわ。

SSRI型の抗うつ薬は、副作用が少ない「夢の抗うつ薬」として広く使われるようになった。しかし、時には自殺衝動を強めたり、攻撃性や暴力性を高めることがあるとして裁判沙汰になったりと、議論の多い薬だ。

彼女は退院後もしばらくの間、精神科に通い、カウンセリングを受けるという。

数日後、彼女から誕生日カードが届いた。それには、ある宗教家の言葉のコピーが同封されていた。

思い出とは、二度と戻らない時を振り返るだけでなく、人生とともに変化していくもうひとつの時を、見つめることでもある。
彼女の中で少しずつ、変化が起きている。

I'm on prozac. = プロザックを服用しているの

謎の足もみおじさん

正面にある大理石のライオンの像で知られるニューヨーク公共図書館の裏に、ブライアント・パークという公園がある。夕焼けが周囲のビルに反射してとてもきれいなので、私は時々、暗くなるまでそこで簡単な仕事をする。

ある夏の夕方、空いている椅子に素足をのせてすわり、ポテトチップスをつまみにビールを飲みながら、取材メモに目を通していた。すると、スーツ姿の男の人が声をかけてきた。

Do you have the time ?

お時間、ありますか、という意味ではない。今、何時かわかりますか、ということだ。これは、見知らぬ人との会話のきっかけになることが多い。

腕時計をするのがあまり好きではない私は、その時も時計をしていなかった。

六時半頃だと思いますけれど、と答えた。

その男の人は、足が疲れているでしょう、と言うと、突然、椅子の上に投げ出した私の足の裏をもみ始めた。

あの、別に疲れていませんから。ご親切にどうも、と言いながら、足を引っ込めようとすると、

いやいや、疲れているはずです、と譲らず、再び足をもみ始める。ポテトチップスとビールを手に、私は途方に暮れた。

ここに足をのせなさい。

その人はそう言うと、私の足を自分のひざの上に置こうとした。

あの、仕事をしなければならないし、足も汚いので、と言いながら、足を引っ込めた。

彼の薬指には指輪がある。家にも帰らずに、こんなところで何をしているのだろうか。

マンハッタンにお住まいですか、と彼が聞いた。

東京とニューヨークを行き来している時だったので、いいえ、と私は答えた。

そうですか。それでは、よい夕べを。

そう言うと、彼はすごすごと立ち去った。

お時間、ありますか、というきっかけを作るために、彼は時間を尋ねてきたのだろう。

このまま、まっすぐ家に帰るのだろうか。ふり返りもせず夕陽に向かって歩き続ける彼の後ろ姿を、私はしばらく見つめていた。

Do you have the time？＝今、何時かわかりますか？

十五分間の断酒

メトロポリタン美術館の階段を上がり、荘厳なボザール様式の建物に入ると、広々とした大ホールにクラシック音楽が流れている。その瞬間、いつも私は、なんとも幸せな気分にひたる。

週末の夜、二階のバルコニー・バーで、室内楽を演奏しているのだ。私はこの日、演奏家たちの目の前のテーブルにすわり、ひとりで白ワインを飲みながら、音楽に酔っていた。一流の美術品、クラシック音楽、ワイン。これ以上の贅沢があるだろうか。

と、私はふとわれに返り、啞然《あぜん》とした。

このあと、友人のパットに誘われ、初めてAA（Alcoholics Anonymous＝アルコール依存症者更正会）のミーティングに行くところだったのだ。この辺りに来たのも、そのためだった。ちょうど金曜日の夜で、AAの会場は美術館から歩いて五分ほどの場所だったので、ついでに演奏を聞くために立ち寄ろうと思ったのだ。

クロークのところでかなり待たされ、遅れそうになった私は、走って会場に向かった。ただでさえ、アルコールに弱いのに、飲んですぐに走ったものだから、心臓は高鳴り、顔は火照っていた。

パットは外で私を待っていた。そんなに真っ赤な顔して走ってきて、とパットが言う。地獄行きだわ、と私がパットに抱きつく。

大丈夫よ、そんな。遅れてないじゃない。まだ始まっていないし、とパットが笑う。違うのよ。うっかりしていて、たった今、ワインを一杯、飲んじゃったの。

Oh, my goodness！　何ですって、とパットはあきれて首を横に振る。

そして、こう言った。

Well, you're at the right place.

ま、まさにうってつけの場所にいるってことよ。

ようこそ、と主催者の女性が入り口で握手を求める。私の息はアルコール臭いに違いない。なるべくその人から離れ、おちょぼ口で挨拶し、握手を交わした。

集まった人たちは、誰もアルコール依存症には見えない。私はアルコールを断ってももう六九日になります、僕はあさってがアルコールをやめて十八年目の記念日です、と口々に誇らしげに語る。それなのに、罪深いこの私は、アルコールを断ってわずか十五分だ。

パットの言葉が身にしみた。

You're at the right place.＝まさにうってつけの場所にいるわね

あなたはアルコール依存症？

AAミーティングには百人近くが参加していた。とてもリラックスした雰囲気の中で、三人が順番に前に出て、体験談を話した。

ハーイ、皆さん。僕はボブ。アルコール依存症です。前に出た人はまず、そう挨拶する。すると、参加者全員が、ハーイ、ボブ、と答える。

十歳の時には、ある犯罪の犠牲者になったし、逮捕されたこともあった。自分が好きになれなかった。何も感じたくなかったから、アルコールを飲んだ。初めてここに来た時、僕を両手を広げて迎え入れてくれた。

AAミーティングに通うのは、何も特別な人たちではない。私の通う教会でもランチ・タイムの頃になると、コーラやコーヒーを手に、スーツ姿のビジネスマンやビジネスウーマンがぞろぞろ現れる。何ごとかと思ったら、AAだった。中には、もう何年もアルコールを飲んでいない人もいる。友人のパットもそうだ。

あなたは物書きで好奇心が強いから、来てみたら、とパットは私を誘った。だが理由はたぶん、それだけではない。それだけなら、私も行くのは気が引けた。無関係な人間が、興味だけで入り込むべき場所ではない。

彼女は前に一度、私にAAに行くように勧めたことがあった。

夫も私も、夜かなり遅くまで仕事をしている日が多いため、寝る前にふたりでお酒を飲むのが楽しみになっている。といっても、ひとり当たりビールなら半缶、ワインならグラス一杯程度だ。ところが私は、好きなくせにお酒に弱く、パーティなどではつい飲みすぎ、翌日はたいてい二日酔いで頭痛がひどく、気分もすぐれない。二、三日、寝込んでしまうことも珍しくない。

You're in trouble.

あなた、それは問題よ、とパットは、言う。

そこまで具合が悪くなるのに、飲みたいというのは、アルコール依存症の始まりだというのだ。私も最初はほんの少量だったのが、しまいにはウイスキーを一本、ひとりで全部空けてしまうまでになったのよ、とパットは警告する。

私がアルコール依存症？　それなら、日本の終電のあの風景は、いったい何なのか。

座席からずり落ちそうになりながら眠りこけている人たちや、つり革にかろうじてつかまりながら、ゆらゆら揺れている人たちが、いつ倒れ込んでくるかとハラハラ見守っているのは、ちょっとほろ酔い加減だが、この私なのである。

You're in trouble.＝あなた、それは問題よ

〝宝くじ〟で当たったグリーンカード

It sounds too good to be true.

話がうますぎるよ。何を夢みたいなこと、言ってるんだよ。

ずらりと机に広げられた三百通の封筒に切手を貼るのを手伝いながら、シンガポール出身の友人はそう言って、信じ切っていた私を笑った。

宝くじのように、ほぼ無条件でグリーンカードがもらえる。

この大ニュースを、やはりシンガポール出身のアンドルーが弁護士から聞き、こっそり教えてくれたのだ。一九八七年のことだ。

でも、なるべく人に言わない方がいいよ。なにしろ競争が激しくなるんだから、とアンドルーは抜け目ない。

ちょうどニューヨークの大学院の修了を間近に控え、その先、ビザがなくてはアメリカに滞在できなくなるため、どうしようかと考え始めた矢先だった。

このような試みは初めてだった。この時の特別措置で対象となった出身国は三六か国で、アジアはインドネシアと日本だけだ。移民の出身国の偏りをなくすことが目的なのである。

このやり方を批判する声もあった。あまりにもいい加減だ。特殊技能があるなど、資格や条件を満たす人を移民として受け入れてこそ、アメリカに利益をもたらすのに、というわけだ。

申請書は何通出してもよい。郵送は普通郵便のみで、指定された一週間以内に届いたものの中から、先着順に選ばれる。期間外に到着したものはすべて無効になる。つまり、初日の真夜中過ぎに、申請書の一通を届けることに、私の全神経は集中したのである。

その頃、私は大学院の修士論文の準備に追われていた。だが一生を左右するのはグリーンカードの方だ。私は受付の一週間前から、マンハッタン中を歩き回り、少しずつ時間をずらして、一通ずつあちこちのポストから申請書を投函した。

宛先は首都ワシントンの私書箱だ。そこへの郵便物は、マンハッタンの中央郵便局近くのペンシルベニア駅から出る列車で運ばれるという情報を得た。投函場所が目的地に近ければ近いほど、届く時間が推定しやすい。

受付前の数日間は朝、暗いうちに起き、中央郵便局へ向かった。雪の日もあった。そこで一時間おきにポストに投函した。私と同じように、数十、数百の封筒を抱えた人たちが大勢いた。中にはフランスやイギリスからワシントンに駆けつけた人や、ひとりで六千通送った人もいたという。

数か月後、国務省から分厚い封筒が送られてきた。封を開け、その場で私は、文字どおり飛び跳ねた。

見て、見て。グリーンカードが当たったのよ。まるで宝くじなの。信じられる？

相手かまわず、周りにいたアメリカ人に私は喜びを告げた。グリーンカードが何のことか、知らない人も少なくない。

なんだかよくわからないけど、よかったわね。おめでとう。

応募は百三十万通を超えた。幸運な日本人は、私のほかにも五百十七人いた。

ここはアメリカだ。夢のようなことが起こるのだ。

It sounds too good to be true. ＝話がうますぎるよ

セントラルパークへ行く理由

セントラルパークの丘にすわっていた数人のために、デービッドはギター片手に歌い始めた。

それから八年たった今も、彼は同じ丘で歌っている。ジョン・レノンをしのんで名づけられたストロベリー・フィールズを少し北に上った、ウエストサイドの湖のほとりだ。

この辺りで迷っても、〝ギターの男〟はどこかと聞けば、たいていの人はデービッドを知っていて、この丘を教えてくれる。

時には警官に追い立てられ、それでも彼は毎週、同じ場所に現れる。彼の歌を待っている人たちがたくさんいるからだ。

寄り添い合うカップル、生まれて間もない赤ちゃんを優しく見つめる男女、音楽に合わせて体を揺すりながら聞いている老夫婦、本を読んでいる中年の男の人、サンドイッチをほおばりながらリズムを取るティーンのグループと、観客はさまざまだ。常連も多いので、会えば声をかけ合うようになる。

その合間を、ＣＤを売り歩く男の人がいる。デービッドの歌を聞きにずっとここに来ているうちに、自分で出資し、彼のCDを出そうと思い立ったのだ。

炎天下の日、ローラーブレードを履いた若い男の人が、歌っているデービッドの前にすっと現れると、ペットボトルの水を足元に置いて、消えていく。

私の友人は犬を引き連れて、ほとんど毎週欠かさずここに現れる。芝生にシーツを広げ、用意してきたサンドイッチやデザートでブランチを取りながら、日がかげるまでギターと歌に耳を傾け、時には一緒に歌う。

彼女はふたり目の夫に愛想を尽かし、離婚したばかりだ。子どもはいない。最初の夫は再婚し、幸せそうだ。回り道をして、彼の温かさを改めて知った。

前より自分をよく知った。何が大切か、今はわかるような気がするの。

彼のもとを去った自分を悔やみながらも、あと戻りできない切なさを、そして、あわただしい一週間の疲れを、デービッドの歌でいやしている。

That's what Central Park is all about.
まさにそのために、セントラルパークはここにあるのだ。

That's what Central Park is all about. ＝まさにそのために、セントラルパークはある

私にぴったりの人

三十代半ばのジェネファーは、この〝デービッドの丘〟にいつもひとりでやってくる。手紙を書いたり、本を読んだりしながら、デービッドの歌を聞く。

やはり一週間の疲れをいやしに来るが、それだけではない。出会いを求めている。

I hope I'll meet Mr. Right soon.

私にぴったりの人に、早く巡り会いたいわ、とジェネファーは言う。

そのためにもここに来て、いい男いないかなと思って見てるんだけど。ねえ、あそこにすわっている男の人、すてきだと思わない？

私の周りにも、ジェネファーのような女の人は多い。

友人のジーナは、私が取材で男の人に会うたびに、で、どんな人だった？　と聞いてくる。

あ〜あ、私、一生、結婚できないのかしら、とスーザンはため息をつく。

インターネットのチャット・グループに参加したり、雑誌に〝恋人求む〟の広告を出したり、と積極的な人もいる。

一方で、どうしてもっと自然な形で出会えないのかしら、と抵抗を示す友人もいる。郊外に比べれば、ニューヨークはシングルが住みやすい街であることは間違いない。それでも、カップル単位で行動する機会の多いアメリカで、シングルたちは複雑な思いを抱く。

この前、トイレで出会ったジャマイカ出身の女の人も、初対面の私に嘆いていた。相手は絶対にキリスト教徒で、私を私としてそのまま認めてくれる人じゃなきゃ、いや。思いやりがあって、繊細で、センスがあって、すてきだなと思うと、決まってゲイなんだもの。本当にMr. Rightに出会うのは難しいわ。

私？　決まってるじゃない。

I met Mr. Wrong.

間違った男に出会っちゃったのよ。

そう言うのは、さっさと夫と別れたサラである。

I hope I'll meet Mr. Right soon.＝私にぴったりの人に、早く巡り会いたいわ

ボン・ボヤージュ

夏、ハドソン川の川べりを散歩するのはとても気分がいい。ゲイで有名なクリストファー・ストリートを、川に向かって歩いていく途中に、「Malatesta Trattoria」という庶民的なイタリアン・レストランがある。

天井のファンや、段ボールの紙に貼られたメニューが、イタリアの田舎の気取らない小さな料理屋に来たような気分にさせる。夏は天井まで届くフレンチ・ドアが開けられ、緑に囲まれた店で、外の風を肌に感じながら、開放的な気分で食事ができる。ウエーターが蝶ネクタイをし、客がスーツで来るようなところより、こういう店が私は好きだ。

ここは北イタリアの料理を出す。プロシュートをはさんだピアディーナと呼ばれる薄いパンがとてもおいしい。ラビオリはトマトとクリームのソースがチーズにマッチし、口の中でとろける。

おいしいか、と何度も聞きに来るウエーターがいた。彼はビザが切れるので、数日後にイタリアに戻り、それからカナダのトロントへ行くという。そこで友だちがレストランを経営している。

ニューヨークでは人の入れ替わりが激しいから、なかなかビザを申請してもらえないんだよ。

それじゃあ、これで会うのが最後なのね。

そう言いながら、私は言葉に詰まった。彼はニューヨークを離れたくないのだろう。たった今、会ったばかりの人なのに、なぜか切なくなった。ビザが取れないため、後ろ髪を引かれる思いで祖国に帰っていった友人たちを、彼に重ねたのかもしれない。

でも、いつかまた、トロントか、東京か、彼の出身のチェゼナか、このニューヨークで会えるかもしれない。

Bon voyage. よい旅を。そしてカナダでの幸運を祈っているわ。

帰りがけにそう声をかけると、彼は私の手を取り、軽くキスをした。イタリア人がよくする挨拶だ。

ニューヨークは、人もレストランも入れ替わりが激しい。今度、ニューヨークに戻る時には、この店ももうここにないかもしれない。ほかのオーナーがパブを始め、アイリッシュのウエーターが働いているかもしれない。

一期一会。

だからこそ、ひとつひとつの出会いを大切にしたいと、ニューヨークは思わせる。

Bon voyage. ＝よい旅を

五番街に響く教会の鐘

マンハッタンで私の好きなひとときが、日曜日の午前十一時頃だ。五番街を歩いていると、まだ静かな街に、教会の鐘の音が響き渡る。

日曜日はゆっくり一日が始まる。ようやく空気が動き始め、街に人々が繰り出してくる。平日はビジネスマンやビジネスウーマンが、足早に通り過ぎていく五番街も、表情が違う。ラフな格好をした観光客やニューヨーカーが、のんびりと散策を楽しむ。正装した人々が、吸い込まれるように教会に入っていく。

マンハッタンには至るところに教会がある。五番街の中心地、ロックフェラーセンターの北には、カルティエ、グッチ、フェラガモ、ティファニーなどの高級店が立ち並ぶ。それとは対照的に、歴史の重みを感じさせるセント・パトリック大聖堂、セント・トマス教会、五番街長老教会といった大きな教会が威容を誇っている。

夏、パーク街のセント・バーソロミュー教会では、野外で礼拝を行う。礼拝のあとは、クッキーをつまみ、コーヒーを飲みながら、おしゃべりを楽しむ。

私の教会では Homecoming の日がある。夏が終わり、休暇などで街を離れていた人たちが、再び街に、そして教会に帰ってくる。お帰りなさい、という日なのだ。教会の脇の五五丁目は通行止めになり、たくさんの風船で通りに飾りつけが施され、フルーツパンチやサンドイッチ、クッキーなどがふるまわれる。日本人観光客もいつの間にか参加していたりする。もちろん、〝この街に帰ってきた〟あらゆる人たちを歓迎している。

アメリカ人は宗教から離れてしまった、と嘆く人たちは少なくない。週一度、教会に行き、頭《こうべ》を垂れるから、信心深いわけではない。だが、少なくとも時間に追われる日々の中で、祈りの時を持とうとする心を、多くのアメリカ人は今も忘れていないと、私は思う。

孤独になりがちなニューヨークなどの大都会では、コミュニティや〝家族〟を求めて、教会に足を運ぶ人もいる。誰でも入れるように、昼の間、教会のドアは鍵がかかっていない。あわただしい日常から逃れたい時、ふと教会に足を踏み入れると、そこには静かに祈る人の姿がある。

マンハッタンほど教会を必要としている街は、ないのかもしれない。

Homecoming ＝帰郷

エレベーターの女の子

近代美術館（MoMA）の前に、ニューヨーク公共図書館の支部図書館がある。日本語の蔵書が置かれている三階で、夫と待ち合わせをしていた。

一階でエレベーターに乗った。

私のすぐあとから、黒人の子どもがふたり乗ってきた。兄妹のように見える。妹は四歳くらいだろうか。赤いジャケットを着ていた。

男の子はドアの方を向いて立っていたが、女の子はじっとこちらを見ていた。目が合ったので微笑むと、その子は微笑み返し、ゆっくり近づいてきた。そして、両手を思い切り広げると、私の腰のあたりにしっかりと抱きついた。

突然のことで驚いた私は、言葉もなく、ただ抱きつかれていた。

おい、こっちに来いよ。

お兄さんらしき男の子が、その子を呼んだ。

女の子は私の顔を見上げ、しばらくして男の子の脇に戻っていった。

ふたりで来ているの？

お母さんは？

女の子に何か話しかけようと、言葉を探した。何を言ってもなぜか、ふたりを傷つけてしまうような気がした。

言葉が見つかる前に、エレベーターは二階で止まった。児童書が置かれている階だ。

女の子がふり返って、私を見た。

さよなら、と私が言った。

ふたりは黙って降りていった。

思い切り抱きしめてくれる母親の姿を、女の子は私に重ねていたのだろうか。

Let me give you a big hug.

思い切り、抱きしめさせて。

なぜ、そう言って、抱き返してあげなかったのだろう。

Let me give you a big hug.＝思い切り、抱きしめさせて

エンパイアステートビルの灯

夜になると、エンパイアステートビルは上部がライトアップされ、暗闇に鮮やかに光る。その色が変わることに初めて気づいた時の感動は、忘れられない。ニューヨークに来たばかりで、日本が恋しくなっていた頃、あのライトは私の心に灯《ともしび》を与えてくれた。

初めてビルの頂上にライトが灯されたのは、一九三二年。フランクリン・D・ルーズベルトが大統領に選ばれた時だった。五六年に設置されたFreedom Lightsは、自由への祈りが込められた。アメリカへの歓迎、この国での無限のチャンス、アメリカ人の平和への希望と祈りを象徴していた。六四年から上部三十階がライトアップされるようになり、アメリカ独立二百周年の七六年に初めて、星条旗の色、赤、白、青の三色に輝いた。

九〇年にはしばらくの間、星条旗の三色に染まっていた。湾岸戦争に送り出す兵士たちを励ますためだった。停戦後は黄色いリボンに由来する平和のシンボルカラー、黄色一色に変わった。

乳がん治癒の祈りを込めてピンクと白に、ゲイの権利を求めてラベンダー色と白に、熱帯雨林保護を訴えてグリーンに、諸国の独立記念日には国旗の色にと、私たちに無言のメッセージを送り続けている。ヤンキースがワールドシリーズで優勝すれば、チームカラーのネイビーにちなんで青と白に輝く。

昨日の夜のライトは、何を意味していたの？

ビルの管理事務所には、一年を通してこうした問い合わせの電話が入る。

事務所で働く女性から、あるおばあさんの話を聞いた。九十歳くらいのその女性は、数週間ごとに、多い時には毎週、電話をしてきた。未亡人でさみしそうだった。

家にこもりがちだったこの女性は、毎晩アパートの窓から、ライトアップされたエンパイアステートビルを見るのを、楽しみにしていた。

I feel like I'm in touch with the world.

世の中と接触があるように感じるのよ、とそのおばあさんは言っていた。

ライトの色によって、彼女は外界とのつながりを感じていたのだ。

が、一年ほど前から電話が途絶えた。

こちらから電話をしていないの。いやなニュースを聞くのが恐いから。

事務所の女性は言う。

夜のエンパイアステートビルを見上げる時、私は会ったこともないそのおばあさんが、ひとり窓辺にたたずみ、カーテンの隙間からそのライトを眺める姿を思い浮かべる。

I feel like I'm in touch with the world.＝世の中と接触があるように感じるのよ

五番街のナバホ族

凍える寒さの中、五番街を歩いていると、クリスマス・デコレーションの施されたショーウィンドーの前に、アメリカン・インディアンの男の人がひとり、すわり込んでいる。

私はナバホ・インディアンですが、お金がなくなり、故郷に帰れなくなりました。目の前の段ボール紙には、マジックでそう書かれている。

その頃、マンハッタンの写真を撮り歩いていた私は、寄付する代わりに彼の写真を撮らせてもらった。

ニューヨークに仕事を見つけに来たんだ。でも、この街は好きになれなかった。物価が高くて、持ち金はすべて使い果たした。あと百三十ドル貯まれば、飛行機で故郷に帰れるんだ。今週中にはそうしたいよ、とその男の人は言う。

アムトラック（列車）ならもっと安いのに、と私が言った。

でも食事代がかかるし、同じだよ。

早く帰りたければ、パンでも缶詰でも買い込んで、列車の中で食べればいい。そう思ったが、口には出さなかった。

彼は指輪やネックレスをたくさん身につけていた。

それを売れば、お金ができるかもしれないと思ったが、アメリカン・インディアンにとってジュエリーは、お守りの意味もあると聞く。

とても寒そうだったので、紙コップに入った温かいコーヒーを買ってきて、ひとつ彼にあげた。

もしかして、持ってきたお金、みんな、アルコールに使っちゃったんじゃないの？

私が冗談めかしてそう言うと、彼はあわてて否定した。

No way！

そんなこと、するわけないだろ。僕はアルコールなんて、飲まないよ。

それから一か月以上経って、五番街の別の場所で、何度か彼を見かけた。同じようにショーウィンドーの前にすわり込んでいた。

百三十ドルがまだ貯まらないのか、それともあれは作り話だったのか。私は尋ねる勇気もなく、彼の目の前を通り過ぎた。彼は私に気がついたようだったが、無言でその場にすわり続けていた。

No way！＝まさか！

地下鉄の「マイ・ウェイ」

一緒に歌を歌いましょうと、クリスマス・イブに、地下鉄で叫んでいる男の人がいた。
ある夜は、プラットホームでこう呼びかけている男の人を見かけた。
You're not alone.
あなたは独りぼっちなんかじゃありませんよ。
孤独な人も、さみしがっていないで、一緒に歌いましょう。

つい最近、トランペット吹きの男が地下鉄に乗ってきた。ひもで首から箱をぶら下げていて、中に一ドル札が何枚か入っている。

何の曲かわからないが、陽気なメロディを吹き始めた。音程はかなりずれているし、音は大きいしで、近くで聞いているのはかなり辛い。乗客たちは苦笑している。

彼はそんなことはおかまいなしに、次から次へとリズミカルな曲を吹き続ける。

演奏を終えると、これは僕のです、とカセットテープをかざして見せる。曲が録音されているのだろう。

箱にお金を入れる人はいるが、カセットは誰も買おうとしない。

彼は再び、トランペットを構えると、今度は神妙に「マイ・ウェイ」を吹き始めた。感情のこもった、静かな音色に、誰もがじっと耳を傾けている。

次の駅で地下鉄が止まり、彼が降りようとすると、あちこちから拍手が起こった。

その次の駅でまた地下鉄が止まると、どこからともなく、「マイ・ウェイ」が聞こえてきた。外をのぞくが、彼の姿はない。ドアが開いているので、おそらく隣の車両で吹いている音が、ホーム経由で入ってきたのだろう。

地下鉄が走り出した。

次の駅でも、また「マイ・ウェイ」が聞こえてくる。

それから何駅か先のカナル・ストリートで、私は降りた。

出口に向かってホームを歩いていると、あの「マイ・ウェイ」が聞こえてきた。ふと車内をのぞくと、トランペットを吹いている彼がいた。

私と一緒にその駅で降りた白髪の老人が、私の前を歩いていた。彼はトランペット吹きの男に向かって、大きく手を振った。

彼は吹き続けたまま、トランペットの先を上に向けて、老人に応えていた。

You're not alone.

あなたはひとりではないんですよ。

大都会なのに、ニューヨークはどこか、そう感じさせるところがある。

You're not alone. = あなたはひとりではないんですよ

くるみ割り人形

子どもたちが大人の社会に仲間入りし、子どもと大人が一緒に夢の世界を楽しめるのが、「くるみ割り人形」だ。

紳士淑女のように着飾った子どもたちの多くは、親に手を引かれ、この日初めてバレエを見にやってくる。ふだんは大人たちばかりの劇場も、この時ばかりは小学校の卒業式のような光景だ。だが、小さな紳士淑女は、きちんとマナーをわきまえていて、走り回ったり、騒いだりすることはない。

ビデオで見たことがあるらしく、後ろの男の子は、
ほらね、くるみ割り人形が勝つって言ったでしょ、などと、母親に説明している。

私の隣には、母親に連れられた六歳の女の子がすわっていた。知り合いがオーケストラで演奏しているので、たった今、舞台裏を見てきたという。

ほら。

母親はバッグから封筒を取り出し、中に入っている小さく刻まれた紙を私に見せた。

これが、舞台で使われる吹雪なのよ。あなたにもひとつ、あげるわ。

秘密を教えちゃ、だめ、と娘が母親に抗議している。

あのクリスマスツリーの上に、みんなで乗ってみたのよ。ツリーはアコーディオンのように開いたり、閉じたりするの。お菓子の周りも歩かせてもらったのよ。

秘密をみんな教えちゃ、だめだったら。


幕間に、娘と孫とおしゃべりをしているおばあさんがいた。孫のビクトリアはチョコレートをかじり、おばあさんはセブンアップを飲んでいる。

おばあさんは八六歳、母親四六歳、ビクトリアは六歳。ちょうど四十歳ずつ年が離れている。

母親はすでに十回以上、くるみ割り人形を見たことがある。四十年前、このおばあさんに手を引かれて、初めて劇場を訪れた。ちょうどビクトリアと同じ歳だった。

おばあさんは、娘や孫たちと一緒にクリスマスを過ごすために、アリゾナからひとりで飛行機に乗ってやってきた。

劇場を出る時に、またこの三人を見かけた。

楽しまれましたか、とおばあさんに声をかけた。

Oh, I was carried away.
もう夢中になって、すっかり惹《ひ》きこまれてしまいましたよ。

クリスマスツリーが飾られ、客でにぎやかなリビングルーム、ねずみと闘うくるみ割り人形、息をのむ雪景色、踊る雪の精、夢いっぱいのお菓子の国……。
楽しく、そしてきらびやかな、このクリスマスの風物詩の伝統が、親から子へ、そして孫へと引き継がれていく。

Oh, I was carried away.＝もう夢中になって、すっかり惹きこまれました

ダコタハウスの大晦日

二〇〇〇年のニュー・イヤーズ・イブ（大晦日）を、私は知り合い夫婦の「ダコタ」のアパートで過ごした。ジョン・レノンがヨーコ・オノとともに住み、その前で撃たれた、最高級アパートだ。十人ほどのパーティだった。

一八八四年に完成したこの優美な館は、ゴシックやフレンチルネッサンス様式を取り入れ、黄褐色のレンガに、切妻屋根、出窓などで装飾されている。広い中庭があり、当時はそこを馬車がひと回りできるようになっていた。エレベーターは、つい最近まで水力で作動していた。

天井まで届きそうな重々しいオークの木のドアが開き、知り合いの家に招き入れられると、そこはまるで美術館のようだ。各部屋はオークションで落札して入手した肖像画やアンティークの家具に囲まれ、目の前にはセントラルパークが一面に広がる。

零時近くなると、アメリカ人のホストが人数分のグラスを取り出し、シャンペンを注ぎ始めた。テレビでタイムズスクエアの中継を見ながら、十、九、八……とカウントダウンを始める。

る。二〇〇〇年〇時。ハッピー・ニュー・イヤー！　と乾杯し、みんなで窓辺に駆けつけ真正面の空に、大きな花火の輪が次々と浮かび上がっては、消えていく。

いつか震えながらセントラルパークで見た恒例の花火だ。音や寒さも体験したい私は、窓を開け、身を乗り出した。人々が歓声をあげている。セントラルパークではミッドナイト・マラソンが始まったようだ。小さな人の群れが一斉に同じ方向に動き始めた。

It is so far from anything. It might as well be in the Dakotas.

こんなに離れたところなら、ダコタにあっても同じだな。

伝説によれば、「ダコタ」が建てられた当時、人々がそう噂《うわさ》したため、この名がつけられたという。ダコタはアメリカ中西部の地だ。マンハッタン島は南から開けていったため、この辺りは何もなかったからだ。一方で、当時、ニューヨークの実業家が盛んに西部で鉱山を開拓していたため、これを建てたシンガー・ミシンの社長が、領土征服の象徴として、そう呼ぶことにしたとの説もある。

It is so far from anything.

あらゆるものから、こんなに離れている。

ミッドタウンの摩天楼や街の明かりを遠くに眺め、うごめく豆粒のような人々を真下に見下ろし、ここは今でも、ほかの世界からはるか遠くにある気がした。

It is so far from anything. = あらゆるものから、こんなに離れている

ホームレスたちの元旦

二〇〇〇年の元旦、私の教会では大晩餐会が催された。ホームレスの人たち六十人を招き、教会のメンバーも同じテーブルを囲み、一緒に食事と会話、音楽を楽しんだ。参加者はあわせて百五十人だ。

私は十人ほどのメンバーに混じって、赤いエプロンをつけ、ウエートレスを務めた。ジュースにサラダ、スパイシーなチキン、ポテトにブロッコリー、デザートにコーヒーというフルコースだ。

牧師のトムも、赤いエプロンをかけて、忙しそうに料理を運び回っている。日本では牧師は「先生」なのに、ここではメンバーがみんな、彼をファーストネームで呼んでいることに、初めは私も戸惑った。かなり親しくしているが、今でも私はそれができず、ついラストネームで呼ぶ。が、トムはまさに〝トム〟なのだ。その気さくさが、多くの人たちをこの教会に呼んだ。

メンバーが教会で食事をする時にはふつう、料金を払うが、この日は払えない人もいるので、全員が無料だった。まるで日本の学校のように、白のブラウスに紺のスカート、などという服装の規定も、スタッフには言い渡された。

私はこの日を楽しみにしていた。どんな話をしようか。そう考えながら、ふと戸惑った。見知らぬ人との会話は、どこにお住まいですか、お仕事は？　などと始まることが多い。ホームレスの人たちにそれを聞くのは、なんだか妙である。

だが、笑顔でハーイと声をかければ、相手も笑顔でハーイと答え、ごく自然に会話は始まった。お仕事は？　などと聞かなくても、僕はリサイクルのエンジニアだよ、と自己紹介してくる人もいる。何のことかと思えば、街中で空き缶を回収して生活費を稼いでいる、という。

ホームレスの人たちの輪の中に、上下黒で統一した、紳士風の穏やかな黒人の男の人がいた。ホームレスの人たちのために、働いているという。

I've been there. 話し込んでいるうちに、彼が言った。

僕も彼らと同じ境遇にいたんだよ、ということだ。だから、彼らの心の痛みも、怒りも、悲しみも、矛盾も、葛藤も、弱さも、よくわかっているのだ。

ホームレスの人たちが、食べ物よりも、シェルターよりも、何よりも、愛を必要としていることを、誰よりもよくわかっている。それは、愛されることだけではない。まず、自分を愛することから始まると、ホームレスの人と接するたびに、私は思う。

I've been there. ＝僕も同じ境遇にいたんだよ

段ボールの家を訪ねて

元旦のホームレスの人たちとの晩餐会で出会ったひとりに、キッドという男の人がいた。ハッピー・ニュー・イヤーと声をかけると、ヘーイ、ハッピー・ニュー・イヤー、かわい子ちゃん、と笑顔で答えてきた。

僕は、教会の脇のビジネス街に住んでいるんだよ、という。

食事が終わったら、彼の住まいを見に行く約束をした。片づけなどの用事を済ませてから、友人と彼を訪ねていった。その通りに人影はまったくなかった。

キッド? キッド? と彼の名前を何度か呼んだ。

すると、ビルのすぐ脇で、何か長さ四メートルほどのものを被っているブルーのビニールシートが動き出し、中からキッドが笑顔で現れた。

ヘーイ、ようこそ。

Come on in. さあ、入って、入って。

キッドがビニールシートを持ち上げる。

そこには、段ボールを五、六個つなげて作った、トンネルのような〝家〟があった。

脇から出入りできるようになっていて、中には毛布が詰め込まれていた。こうして、ニューヨークの厳しい寒さをしのいでいるのだろう。

これが僕の寝床だよ。妊娠八か月の女の人が、行くところがなくて困っていたから、今、ここに一緒に寝てるんだ。そうだ、君に見せたいものがあるんだった。僕はコメディを作っているんだ。

キッドは寝床の段ボール箱の上から、何かを取り出してきた。二枚の鉛筆描きの絵だった。

この男はニューヨークいちの消防士なんだ。火災現場には真っ先に駆けつける。今でも、馬が引く消防車に乗っているんだ。

でもね、この絵は僕のイメージとちょっと違うんだ。セントラルパークで知り合ったアーチストに一枚五ドルで描かせたんだけど、僕はもっとレベルの高いものを求めている。

イメージにぴったりのアーチストが見つかれば、それを売り込んで、映画を作る。収益の一部はアパート代なんかになるけれど、それ以外は全部つぎ込んでホームレスのためにHomeless On Planet Earth（地球という惑星のホームレス）という団体を作るんだ。頭文字を取るとＨＯＰＥ（希望）。どう、いいだろ？

ちょっと、これを見てくれよ。この人が僕のコメディに興味を持って、連絡してきたんだよ。

彼の寝床の段ボールのふちに、マジックでその人の名前「Steve」と電話番号が、大きな乱雑な字で書かれている。熱心なクリスチャンの友人は、まったく夢ばかり見ているんだから、と眉間にしわを寄せ、深いため息をついている。

とにかく教会に来なさいね、あなたのために祈ってますから、とキッドに繰り返す。

火災現場にいち早く駆けつける消防士。HOPEという名のホームレスの団体。キッドの創り出す世界の温かさに、私は言葉を失った。

こんな環境に住みながら、夢と希望を持ち、生き生きと生きている彼を、私はうらやましいと思った。夢ばかり見ているから、こんな環境に住んでいるのか。こんな環境にいるから、夢を持とうと思えるのか。

それはわからないが、キッドはとても自然に見えた。彼の夢は夢でなくなるかもしれない。なにしろ、ここはニューヨークなのだ。

Come on in. = さあ、入って

あなた、幸せですか

隣に住んでいたホフマンさんが亡くなった。九十代半ばだった。すでに十五年も前に夫を亡くし、ひとり暮らしだった。子どもはいない。身の回りの世話をする女性やカトリックの尼僧、そしてローズマリーが様子を見に訪れる以外は、ほとんど訪問客はいなかった。ローズマリーとホフマンさんは、同じカトリック教会に通い、この建物に何十年も住んでいたので、長年のつき合いだった。

私も、外で会えば、言葉を交わした。

玄関の外に届けられるニューヨーク・タイムズを拾いに出た時にばったり会うと、いつも言った。

それはよい新聞ですよ。よい新聞を読んで、きちんとお勉強して、あなたはよい学生ですね。

学生ではありません、と何度伝えても、彼女はなぜか、ずっと私を学生だと思い込んでいた。

会えば必ず、声をかけてくれた。

Please come over for a cup of tea.

お茶を飲みにいらっしゃい、と。

それでも、お茶を飲みながらおしゃべりをしたのは、数えるほどだった。

いつか、また。

そう思っているうちに、時は流れた。

訃報を聞いて駆けつけた肉親は、たったひとりだった。その人とローズマリーと私たち夫婦で、近くの葬儀場へお通夜に行った。尼僧と教会のメンバーが数人いるだけだった。

棺桶を開けたまま、最後のお別れができるようになっている。

ホフマンさんは、ロザリオをかけた手を組んで、そこに横たわっていた。

穏やかな顔を見つめながら、彼女の言葉を思い出していた。

ホフマンさんの手を引いて、アパートの住人の会合に連れていった時のことだ。ゆっくり歩いていた足をふいに止めると、私の目をじっと見つめて、こう言った。

Are you happy ?

あなた、幸せですか。

私は幸せか。
そんなこと、改めて考えたこともない。
でも、答えていた。
はい、と。
Good. That is very good.
それはよいことですね。大変、よいことです。
彼女は満足そうにうなずくと、またゆっくり歩き出した。

Were you happy, Mrs. Hoffman?
ホフマンさんは、幸せだったのでしょうか。
今頃になって、私は彼女に問いかけている。

Please come over for a cup of tea. = お茶を飲みにいらっしゃい

二三人の乗客のプロポーズ

全米各地に店を持つ、1-800-FLOWERS.COM というフラワーショップがある。余談だが、ウエブサイトのアドレスが会社の名前であり、FLOWERS までが電話番号にもなっている。このように、アルファベットで電話番号が表される場合がよくある。電話機の数字の横にアルファベットも書かれているのだ。

バレンタイン・デーに、ある男の人が空港に向かう途中で、ニューヨークのこの店に立ち寄った。これからカリフォルニアで待つ女性に会いに行き、プロポーズするつもりだと、店員に話した。

それなら、ふたりの思い出の花をあげるのがいいでしょう、と店員がアドバイスした。ふたりは、カリフォルニア州で行われる元旦恒例のローズパレードで知り合った。六十もの山車《だし》（フロート）が、バラなどの生花で豪華に飾られる。

それにちなんでバラを贈ることにした。男性はバラを二ダース、買い求め、店員がふたつの箱にきれいに収めた。

これでもう、あとはパレードさえあれば、完璧でしょう、と店員がジョークを言った。

箱をひとつずつ小脇に抱え、手にバッグを持ち、落としそうになりながら飛行機に乗り込むと、乗り合わせた女の人が言った。

どうやら、すばらしいバレンタイン・デーを迎える女性がいるようね。

男の人は、ガールフレンドにプロポーズするつもりで、あとはパレードさえあれば完璧ですよ、とフラワーショップの店員に言われた、と話した。

夫と私だけじゃ、パレードにはならないけれど。

We'll be happy to give you a hand.

喜んで手を貸しますよ、と彼女は答えた。

その話が少しずつ、近くの座席の乗客たちに伝わっていった。

飛行機がカリフォルニアに着いた。ガールフレンドが到着ゲートで、その男の人を探していた。

すると、一本ずつバラを手にした二三人の乗客が列を作り、彼女に向かって行進し始めた。そして、ひとりずつ、その女性に花を手渡していった。

最後に男の人がバラを一本持って現れ、ガールフレンドの前でひざまずいた。

Will you marry me?

結婚してください。

彼がそう言うと、乗客たちから歓声がわき起こった。

見知らぬ二三人の祝福を受けて、ふたりはめでたく結ばれた。

We'll be happy to give you a hand.＝喜んで手を貸しますよ

あとがき

一か月間ほど缶詰め状態で、この本の原稿を仕上げた。電話以外、人とほとんど口をきいていなかった。入稿前に原稿をチェックしている最中、トイレットペーパーがなくなり、外に出ざるを得なくなった。

スーパーマーケットの角で、背の高い男の人が立ち話をしている。夜で真っ暗だったが、すぐに誰かわかった。

急いでいる私は、ハーイ、とだけ声をかけ、スーパーマーケットに入ろうとすると、ヘーイ、ミッツィ！　と背後から呼び止められた。

本が仕上がったそうじゃないか。よかったな。おめでとう。

ゲラになる前から、本を書き上げたことを聞きつけたのは、もちろん、わがアパートの〝市長〟、マークである。

もうすぐ日本に帰るんだってな。その前に会えなければ、安全でいい旅をな。

手を振って、彼に別れを告げた。

彼女は本を書いているのさ。

〝市長〟が、立ち話の相手の女性に説明しているのが、後ろから聞こえてくる。

マークとは、外で会えば挨拶をする程度の仲でしかない。一緒に食事をしたこともないし、彼の部屋に行ったこともない。それでも、何かあったら、彼のところに行けば、なんだ、どうした。おれが相談にのってやろうじゃないか、と温かく迎え入れてくれるだろう。

おい、ミッツィ、ちょっと手を貸してくれないか、とマークが頼んできたら、私もできることなら喜んでするだろう。

いい旅をな。

そうマークに言われて、私は妙にさみしくなった。

また半年もすれば、ニューヨークに戻ってくる。それでも、道端や公園や、地下鉄のプラットホームで、出会う人々と、ありのままの自分で、何気ない会話ができるこの街を、日本で私は懐かしく想うことだろう。

一度しか、言葉を交わしたことがなくても、忘れられない人たちがたくさんいる。出会った人のほとんどは、二度と会うことはない。でも、今度、またどこかでばったり会えば、この前の話の続きをするだろう。

二〇〇〇年の新年は、知り合いの住む「ダコタ」に招かれ、シャンペン片手にセントラルパークの花火に息をのみ、記念すべき瞬間を迎えた。元旦はホームレスの人たちと一緒に食事をし、そのあとで、段ボール箱をいくつも使って、ていねいに作られたキッドの〃家〃に招待された。

出会う人の数だけ、人生がある。でも、ダコタに住んでいても、段ボールの家に住んでいても、人そのものはそれほど変わらない。

英語を知っていてよかった、と私は心から思う。そのおかげで、世界は何倍にも広がった。だが、英語がうまく話せなくても、心が柔軟であることが何よりも世界を広げてくれる。

その日に出会った人たちの言葉や行為が、一枚ずつ白いページを埋め、この本を作ってくれた。ちょうど、これまでの私の人生が、そうして築かれてきたように。

この本に登場するすべての人たち、ニューヨークの友人たち、とくに、執筆中、生活をともにしたゲイル、つねに励まし、支えてくれたローズマリーとジャックに、感謝の意を捧げたい。

I want to thank all those whose stories are included here. Thanks to my friends in New York, especially Gail Blauner for all her help and encouragement, and Rosemary & Jack White for their kindness and support.

この本が世に出る前に、その喜びをともにわかち合ってくれた森井巌・真理夫妻、小野眞澄さんに感謝する。

そして、よきパートナーとして、第二の編集者として、いつも温かく見守ってくれる夫の塩崎智に、ありがとう。

〝人のにおい〟のするニューヨークを書いてほしいと、ノヴァ出版局の中村千恵さんがこの企画を依頼してくれた。お礼を申し上げたい。

二〇〇〇年二月十四日
ニューヨークにて
岡田　光世

文庫版あとがき

この本を書いた頃を思い出す。

「アメリカの家族」（岩波新書）とわずか二日違いの刊行で、不眠不休の忙しさだった。物が溢れるゲイルのアパートも、机などというものには縁がなく、ベッドの上にニューヨークのイエローページを二冊重ねて高さを調整し、その上にノートパソコンを置いて、不自然な姿勢で書き続けた。

この本を書くのは楽しかった。外に出ればいつも何か書きたいことに出会い、書くというより、出会った人たちがパソコンの画面の上で勝手にしゃべったり動いたりしてくれているようだった。

この本を読んだ文春文庫編集部の池延朋子さんが、「人間ってこんなふうに生きられるのだなあ、と思った」と言ってくれた。

「どこかに何か大切な忘れ物をしてきたのに、その場所がどこなのか、忘れ物が何なのかわからないような焦燥感や、ずっと忘れていた十代の頃特有の胸苦しい甘酸っぱい感情が、読んでいるうちに胸をひたす」とも。

それはきっと、ここに登場する人たちの多くに、〝子ども〟の部分が強く残っているからなのだと思う。

日本では、小さな子どもでさえ、今をのんびりと楽しんではいられない。早く大人になりなさい、とお尻をたたかれる。小学校高学年にもなると無邪気さは消え、妙に覚めていて、言うこともすることも自分たちの親のようだ。そして、大人たちは、ちょっと前までは自分たちも小さな子どもだったのに、体裁を整えることばかりに気を取られて、あの純粋さやひたむきさや素朴さをすっかり忘れてしまった。

この本が出版された翌年の九月、ワールドトレードセンターがまるで地面に吸い込まれていくように、一気に崩れた。その跡地にも、ニューヨークの人々の心にも、大きな深い穴がぽっかり空いた。

この本に登場する人たちの人生も変わった。

同時多発テロの翌月、ローズマリーが急死した。東京からニューヨークに戻る私たちのために、アパートに風を入れ、夕食を用意しておいてくれた、あの六十代の友人だ。癌に冒されていたことを、私を含め、家族以外、誰も知らなかった。その後、夫のジャックも、あとを追うように亡くなった。

「夫婦の会話」に登場するピーターは、医療ミスで首から下が不随となった。自分で食事も排泄も寝返りもできず、一生、車椅子の生活を強いられることになった。死にたいと思った、という。でも、ユーモアと笑顔は今も変わらない。

大きな悲しみや苦しみもたたえた街なのに、ニューヨークは〝子どもの魅力〟を色濃く残したままだ。だから私は今また、飛行機に飛び乗り、この街がもっとも〝子どもの魅力〟に溢れるホリデーシーズンに、タイムカプセルに乗るように、私の中の〝子ども〟を取り戻すためにやってきた。

ニューヨークの魔法は、いつまでもとけない。

「日ごろ乾き気味の日本人にぜひ読んでもらいたい」と熱意を持って助言し、支えてくださった担当の池延さん、文春文庫の編集部の方々、解説でニューヨークへの思いを分かち合ってくださった共同通信社の立花珠樹さん、雰囲気のあるすてきな装丁を考えてくださった大久保明子さん、温かく哀愁のあるイラストを描いてくださった上杉忠弘さん、そして、最後までご迷惑をおかけした校正や印刷の担当の方々、心から感謝いたします。

ありがとうございました。

二〇〇六年十二月一日　　一年でもっとも美しいニューヨークで

岡田光世

解説

立花珠樹

アメリカ南部ニューオーリンズには、カキやナマズ、エビなどのフライをフランスパンにはさんだ「poor boy」というサンドイッチがある。値段が安く、貧しい人でも買えたので、この名前がついたのだという。

このサンドイッチのことをエッセイに書こうとした岡田さんは、ニューオーリンズの新聞社に電話を入れた。「poor」と「boy」の間にハイフンが入るかどうか確認したかったのだ。

電話に出た記者は答えた。

「ふつう、ハイフンではなくて、レタスとトマトを入れます」

「アメリカン・ジョーク (It's a good thing we only use CDs now.)」のエピソードを読んだとき、僕は心の中で快哉を叫んだ。そうなんだよ、これがアメリカのいい所なんだよ。ユーモアに満ちた言葉で、見知らぬ者同士が笑顔でつながり、一日がハッピーになる。

一方、自戒をこめて言うのだが、二十一世紀になっても、日本人は、特に日本のおじさんたちは、驚くほど無口だ。同じマンションに住む住民と朝、廊下で出くわしても、「おはようございます」とにこやかに挨拶することはない。特に、相手が「女子ども」の場合は決してないと断言できる。満員の通勤電車から力任せに人をかき分けて降りるときも、無言のままが常識だ。「すいません」という言葉は、おじさんたちはとうにゴミ箱に捨ててしまっているのだ。

もちろん、会社に着いて部下からあいさつされても、声は出さずに鷹揚にうなずくのが然るべき威厳の保ち方だ。オフィスの電話を自分で取ることもしないし（偉いおじさんは、部下がほかの電話に出ていて受話器から呼び出し音が鳴り響いていたとしても、決して自分で電話に出たりしないのだ）、まして電話の向こうの見知らぬ相手にジョークなんて、天地がひっくり返ってもあり得ないことだろう。

さて、この本の中には、そうした無口で威張っている日本のおじさんたちと対極にいる人たちが、たくさん出てくる。

つまり、言い方を変えれば、おしゃべりで、お節介な人たちだ。

バスに乗っていて、隣の人に「急行ですか？」と尋ねると、いきなり前の座席の乗客が会話に入ってくる（「女？　(She is a he.)」）。地下鉄で本を読んでいる著者の夫に、

「それ、私も読んだわ、すごくいいわよね。そう思わない」と話しかけ、挙げ句の果てにほかの推薦書リストまで書いて渡す女性がいる（「地下鉄での頼まれごと（Do me a favor.）」）。カフェでパソコンを広げて急ぎの仕事をしていると、どうしても話しかけたくてたまらない様子で女性が近づいてくる（「ノートパソコンは人を呼ぶ（I don't mean to bother you.）」）。

岡田さんは、こうした、もしかするとちょっと厄介な人たちとの交流から、生き生きとした英語のフレーズと、ふわっと心が温まるエピソードを、僕たちに届けてくれる。

僕はこの本を読みながら、とても気持ちがよくなった。アメリカやニューヨークを書いた本はたくさんあるし、しゃれた英会話の本もたくさんある。だけど、こんなに気持ちよくさせてくれる本はそんなにはないはずだ。

だが、ここで気持ちよさのあまり、なるほど言葉は人と人を結ぶ潤滑油なんですねとか、言葉のチカラを信じましょう、などと書いて、はいお終いでは、この本の面白さは分からない。

もう一歩深く読み込んでみよう。読解力のテストみたいだが、気をつけて読んでいくと、実はおしゃべりで、お節介なのは周りの人たちばかりではないのが、よく見えてくるはずだ。格言はすごい。「類は友を呼ぶ」のは、日本でもニューヨークでも共通している。著者も十分におしゃべりで、お節介な人だから、きっと、そういう人たちを引きつけてしまうのだ。

それを証明するのにいくつも例は挙げられるが、やはり圧巻なのは、中華料理店の話（「容器の中身は（That is different.）」）だろう。大食漢の著者はエビ炒飯を満足して食べていたのに、向かいに座った若い白人女性が、見たこともない物を「おいしそうに、黙々と食べ」ているのに気づいたとたん、いてもたってもいられなくなる。観察したが解明できないと、我慢できずに、店を出る前「思い切って」尋ねる。内容が分かった後、げっ（！）と驚いた著者が「ひと口どうぞ」と勧められる前に、そそくさと立ち去る姿を想像すると、思わず口元がほころんでしまう。なぜって、もし著者が逆の立場だったら、絶対に「ひと口どうぞ」と勧めるからだ。同じようにおしゃべりで、お節介な僕には、その気持ちがよく分かる。

一度、そんな著者の姿がイメージできると、この本のエピソードが、まるで映画のワンシーンのように生き生きと感じられてくるはずだ。

たった一度だけ、地下鉄のホームで会った日本人女性に、クリスマスプレゼントとして故国のカレンダーを郵送するポーランド人女性の優しさの裏には、孤独がぽっかりと口をあけているのかもしれない。「You're not alone.」と叫ぶ男ほど、寂しい男はいないのかもしれない。

僕が岡田光世さんに最初に会ったのは一九九〇年、もう十七年前のことだ。当時、通信社の支局員としてニューヨークで暮らしていた僕は、友人のカメラマンから「ロウアーマンハッタンの貧しい子どもたちが通う学校で、日本語を教えている若い女性がいる」という話を聞いて、取材を申し込んだのがきっかけだった。

倉庫のような古びた建物の一、二階を使っているその学校には、幼稚園から中等部まで合わせて、二十人の生徒が通っていた。黒人、ヒスパニック、アラブ系など、すべてアメリカの中のマイノリティーの子どもたちで、白人の生徒は一人もいなかった。大部分の家庭は片親で、それもほとんどが母親しかいないのだと、黒人の女性校長が教えてくれた。

創設者であるこの校長は「子どもたちが貧しさから抜け出すためには、外国語が役立つ」という考えで、子どもたちは全員、フランス語、スペイン語、アラビア語、スワヒリ語、日本語のうちから二つを必修することになっていた。

取材当日、「オカダセンセイ」は日本語クラスの三、四年生の子どもたち四人に、卒業式で発表する日本語劇のレッスンをしているところだった。日本を初めて訪れたアメリカ人の母子が、家の中で靴を脱ぐ習慣や、初めて食べるウナギの蒲焼きにとまどいながら、日本の礼儀作法を学んでいくというストーリーだ。子どもたちのアイデアをもとに彼女が脚本をつくったという劇を見ながら、僕は子どもたちの日本語がうまいのに驚き、同時にネイティブそのものといっていい彼女の英語力に舌を巻いた。

授業の後、インタビューに答えて、彼女はこんなことを話した。「わたしはここで教え始めてから、今までアメリカの表通りしか見てこなかったのが、よく分かりました。

いつか、この子どものことを、自分の手で本にまとめてみたいんです」

そのとき、僕が感じたことは今でも、よく覚えている。ああ、この人は必ず本を書くな、彼女はきっと自分の夢を実現させるだろう、そう確信に近い感情が湧いた。この本の中の表現を使えば、僕はそのとき「I bet you.」と言えばよかったのだろう。

僕にそう感じさせたのは、彼女の華やかな留学体験や努力に裏打ちされた語学力だけではなかった。僕はそのとき、彼女の中に、夢に向かってひたむきに進んでいこうとする力が人並み以上に備わっている、と感じたのだ。

今、この本を読んでみると、その力は、彼女自身に備わっていたものだけではなく、当時一緒に暮らし始めたばかりだった彼（その後結婚、この本の中では『夫』として登場する塩崎智氏）から彼女がもらっていたパワーも加わっていたのかな、と思う。それくらい、この本の中で、夫が登場するストーリーはみな愛情にあふれている。

例えば、たぶん全巻を通じて最高の作品の一つといえる「双子の母のため息（You made my day.）」。ある夜、いつもよりかなり遅れて帰ってきた夫が、妻にバス停で出会った黒人女性から身の上話を聞いた話を始める。そのエピソード自体も、とても温《ぬく》りがある話なのだが、何と言っても一番ホットなのは、話を始める夫を「なんだかうれしそう」と、見つめる著者の視線なのだ。

別のところでは、寒がりの著者は、冬の寒い夜には「湯たんぽには熱湯をなみなみと注ぎ、夫をひしと抱きしめて眠りにつく」とまで書いているほどで、もしかすると、この隠し味が、敏腕女性編集者を引きつけ、出版に踏み切らせたのでは、と邪推してしまうほどだ。

僕がニューヨークを離れて十五年以上たった。9・11のテロもあった。日本のおじさん以上に威張っているアメリカのおじさんも目立つようになった。ニューヨークでの三年間の暮らしは、今でもかけがえのない出来事だけれど、心の中に占める比率は日々小さくなってきている。

それでも、ときどきニューヨークの記憶が、急によみがえってくることがある。最初に買い物に行った二十四時間営業のグローサリーで、「注文は以上でおしまいってときには『That's it』って言えばいいんだよ」と教えてくれた中国人のおばさん。「よっ、兄弟。英語がうまくしゃべれないといって悲観するんじゃねえぞ。俺を見ろ、俺を」とめちゃめちゃな英語で慰めてくれたアフリカ出身のタクシードライバー。毎日、会うたびにラム酒のおいしい飲み方と、女性の口説き方を教えてくれたプエルトリコ出身のガードマン。

つらい夜がなかったわけではないけれど、やっぱり僕も、おしゃべりで、お節介なニューヨーカーたちと、おしゃべりするのが大好きだった。そんなときにぴったりの言葉も、この本にある。「New York City can grow on you.」

（共同通信社編集委員）

単行本　二〇〇〇年五月　ノヴァ・エンタープライズ刊

「はじめに」は『潮』二〇〇五年五月号の随筆に大幅に加筆しました。
なお、文中の営業時間などの情報は全て二〇〇〇年当時の情報です。
地図も実際の位置関係とは多少異なります。

ニューヨークのとけない魔法《まほう》

定価はカバーに表示してあります

2007年2月10日　第1刷
2015年5月25日　第31刷

著者　岡田光世《おかだみつよ》
発行者　羽鳥好之
発行所　株式会社　文藝春秋

東京都千代田区紀尾井町3-23　〒102-8008
TEL　03・3265・1211
文藝春秋ホームページ　http://www.bunshun.co.jp

落丁、乱丁本は、お手数ですが小社製作部宛お送り下さい。送料小社負担でお取替致します。

印刷・大日本印刷　製本・加藤製本

Printed in Japan
ISBN978-4-16-771722-3